CW01023566

Common Swedish Verbs

by David Hensleigh

plugghäst books
tottarp, sweden

Common Swedish Verbs
by David Hensleigh
© 2001 Vapor Arts HB

ISBN: 978-91-974220-0-0

No portion of this book may be reproduced without the written permission of the author except for small excerpts used in a review.

Plugghäst Books are published by:
Vapor Arts HB
Gamla Trelleborgsvägen 1
245 93 Staffanstorp
Sweden
e-mail: info@vaporarts.com

Special Thanks to Majlis Aurér and Christel Aurér, whose help was indispensable. Also, thanks to Rebecca Simons (Cover Design), Mark Benfer and Anna Nilsson (Computer Help and *Sommarstuga*), Oskar Lärn (Printing), and anyone else I pestered along the way.

If you:

- Would like to purchase more copies of this book,
- Have any questions or comments about this book,
- Would like to find out more about other books we publish,

please contact us by mail or e-mail at the addresses listed above.

First Edition
Ninth Printing

Contents

Introduction

A verb is a complicated thing. Its main function is to indicate the action or state of being of the subject in a sentence, but it can also indicate when the action is being performed. It can be used to give instructions, or just to make hypothetical statements. It can also be turned into an adverb, or even a noun.

The purpose of this book is to help you quickly understand some of the main elements of Swedish verb usage. It contains definitions for, and conjugations to over two thousand Swedish verbs. While this book does not explain every possible form of a verb or every possible definition (it would be a much larger, heavier, and expensive book if it did!) it does contain the parts that a student would need to learn first and will need to use more often. We highly recommend a good dictionary and a good grammar book to compliment *Common Swedish Verbs*, as it is not intended to be a substitute for either.

As you use the book, you may occasionally notice that we have left out a verb that you feel is important, or may not have listed every definition. We have tried to pack the maximum amount of information into the minimum amount of space, and have edited out some verbs and some definitions for the sake of brevity.

The Swedish language changed dramatically during the twentieth century, and in the process lost, among other things, verb tenses based on person subject (such as *first person singular*, or *third person plural*, etc.). It also changed by making several common verbs into shorter words (*bliva* has become *bli*, *hava* has become *ha*, etc.) and many verbs that had irregular conjugations have been standardized into regular conjugations. It is sometimes the case that older speakers of Swedish may conjugate verbs slightly differently than younger speakers. In addition, there are occasionally regional variations in the way verbs are used and/or conjugated. Some changes to the Swedish language are dramatic enough that one may occasionally encounter verb conjugations, subject forms, and even pronouns that have completely disappeared from contemporary Swedish. Typical examples where one might encounter these older forms in daily life are in bibles, songs, plays or other texts which are traditional but still a part of contemporary Swedish culture. We have tried to note important variations that you might need to know, but have left many less used variations out.

And finally, we enthusiastically encourage feedback on *Common Swedish Verbs* so that we can improve future editions. Let us know what you think we should add, subtract, or change. We are especially keen to find out about regional, informal and other variations in verb usage. You can send your comments to the mailing or e-mail addresses listed in the front of the book.

Common Swedish Verbs

Part One: How to Conjugate

The first function of a verb is to describe the action (or state of being) of the subject in a sentence. As an example, we'll use this verb:

att dansa

(to dance)

This is the basic form of the verb, called the *infinitive* (*infinitiv* in Swedish). It's the form listed in the dictionary, and the form listed in the first column of the tables in this book. You can use this form when you want to use a verb with no definite reference to time.

The problem with the infinitive is that it doesn't give you any sense of when the action was performed. You can alter this basic form, either by changing some of the letters in the verb, or by adding additional words to the verb. This process of altering a verb is called *inflection,* and the process of inflecting verbs to create verb forms that indicate time is called *conjugation.* All tenses of a verb are formed from the infinitive, except in a couple of very rare circumstances, such as *att vara* and *att vara tvungen* (You can look up these verbs in the tables to see how they are conjugated).

The name of these forms which indicate time are called *tenses* (or *tempus* in Swedish).

In the table on the following page, you can see how to conjugate **att dansa** in the most common tenses. In some cases, little or no inflection is needed, and in other cases, the verb must be inflected significately. The verb **att dansa** is fairly normal, and almost all tenses of almost all verbs will be constructed this way. There are a few exceptions you might want to look out for:

Deponent Verbs and the Passive Form

In Swedish, you can create the passive form of a verb by usually adding the letter *s* to the end of the verb. There are also verbs which look like passive verbs, but are actually active in meaning. These verbs are called *deponent verbs* (*deponens* in Swedish). If you look through the tables in this book, deponent verbs are the ones which end in *s,* like **lyckas**, **synas**, or **trivas**. Deponent verbs and the passive form are conjugated in exactly the same manner. In most cases, you just follow normal conjugations rules, and then add *s* to the end of the tense. The present tense, however, usually (but not always) deviates from normal conjugation rules. For the present tense, take the infinitive, subtract any vowel and add *s* to the end.

Spelling Exceptions

There are a few eccentricites dealing with spelling that sometimes affect the conjugation. For example, words don't usually end in a double *m,* so where a tense would do so, one *m* is dropped to make the verb end with only one *m* (see *att komma*). Also, verbs which have as their last consonant the letter *j* sometimes drop that letter altogether in all or some tenses, and verbs that end with *dja* or *da* tend to (but not always) change the *d* or *dj* to *t* in the Supine form.

Tense	Time	Conjugated Verb	How to create it
Present *(Presens)*	Action is: 1. happening now. 2. happens habitually. 3. is a fact.	1. Jag **dansar**. (I am **dancing**.) 2. Jag **dansar** en gång i veckan. (I **dance** once a week). 3. Jag **dansar** bra. (I **dance** well.)	Alter the ending of the verb. The rules for doing this are slightly different for each verb group. See the next chapter, *"Guide to the Verb Forms"*.
Past *(Preteritum)*	Action happened in the past.	Jag **dansade**. (I **danced**.)	Alter the ending of the verb. The rules for doing this are slightly different for each verb group.
Future *(Futurum)*	Action will happen in the future.	Jag **ska dansa**. (I will **dance**, I shall **dance**) -or- Jag **kommer att dansa**. (I am going to **dance**)	Add **ska** (shall) plus the infinitive. -or- Add **kommer att** plus the infinitive.
Present Perfect *(Perfekt)*	1. Action started in the past and is continuing now. 2. Action ended at some time in the past.	1. Jag **har dansat** sedan jag var liten. (I **have danced** since I was little) 2. Jag **har dansat** färdigt för ikväll. (I **have** finished **dancing** for tonight)	Add **har** (the present tense of *att ha,* to have) to the Supine form of the verb. The Supine, or *Supinum* in Swedish, is the last column of the verb tables. It is similar to (but not exactly like) the past participle in English.
Past Perfect* *(Pluskvamperfekt)*	Action happened in the past, before another action which also happened in the past.	Jag **hade dansat** innan jag åkte hem. (I **had danced** before I went home.)	Add **hade** (the past tense of *att ha,* to have) to the Supine form of the verb.
Future Perfect *(Futurum Exactum)*	Action is in the future, but will be completed before a specific time.	Jag **ska ha dansat** (I **will have danced**)	Add **ska** (shall) plus **ha** (the infinitive of *att ha,* to have) plus the Supine form.
Conditional *(Konditionalis I)*	Action needs to happen.	Jag **skulle dansa**. (I **should dance**.)	Add **skulle** (should) to the Infinitive.
Conditional Perfect *(Konditionalis II)*	Action needed to have been completed at some time in the past.	Jag **skulle ha dansat**. (I **should have danced**.)	Add **skulle** (should) plus **ha** (the infinitive of *att ha,* to have) plus the Supine form.

*Sometimes called the Pluperfect in English

Part Two: Guide to the Verb Groups

As mentioned earlier, Swedish has four distinct verb groups and each group has slightly different conjugation rules. Understanding which group a verb belongs to and what the rules are for each group is very important. The main objective of this book is to help you do just that.

Group 1

Group 1 is far and away the most common of all groups, accounting for 67% of the verbs in this book. That's good news, because group 1 verbs are the easiest to conjugate. All modern verbs fall into this category, and many older ones have been altered over the years to fit into it as well. In addition, verbs obviously imported from another language (*att konjugera,* meaning *to conjugate,* is a good example) almost always belong to this group. Group 1 is characterized in the following way:

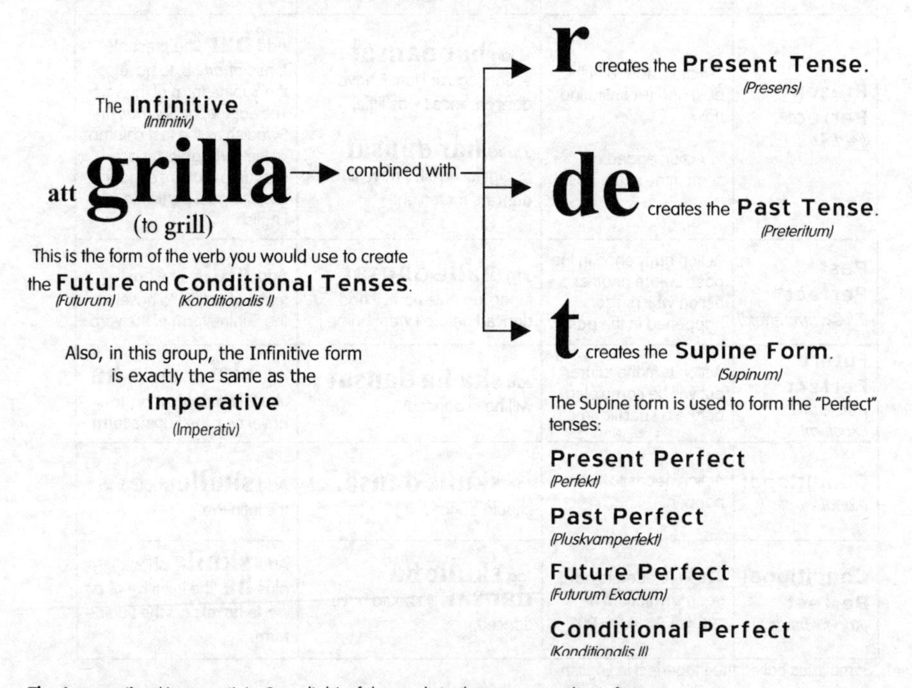

The imperative (*imperativ* in Swedish) of the verb is the same as the infinitive.
The present tense *(presens)* of the verb is formed by adding an *r* to the infinitive.
The past tense *(preteritum)* of the verb is formed by adding *de* to the infinitive.
The supine form *(supinum)* of the verb is formed by adding *t* to the ifinitive.

Group 2

Group 2 has two subgroups, 2a and 2b, and the difference between them is only in the formation of the past tense. 2a accounts for almost 11% ot the verbs in this book, and 2b accounts for 6%. It is a little more difficult to conjugate than Group 1, but not particularly so.

Group 2 looks like this:

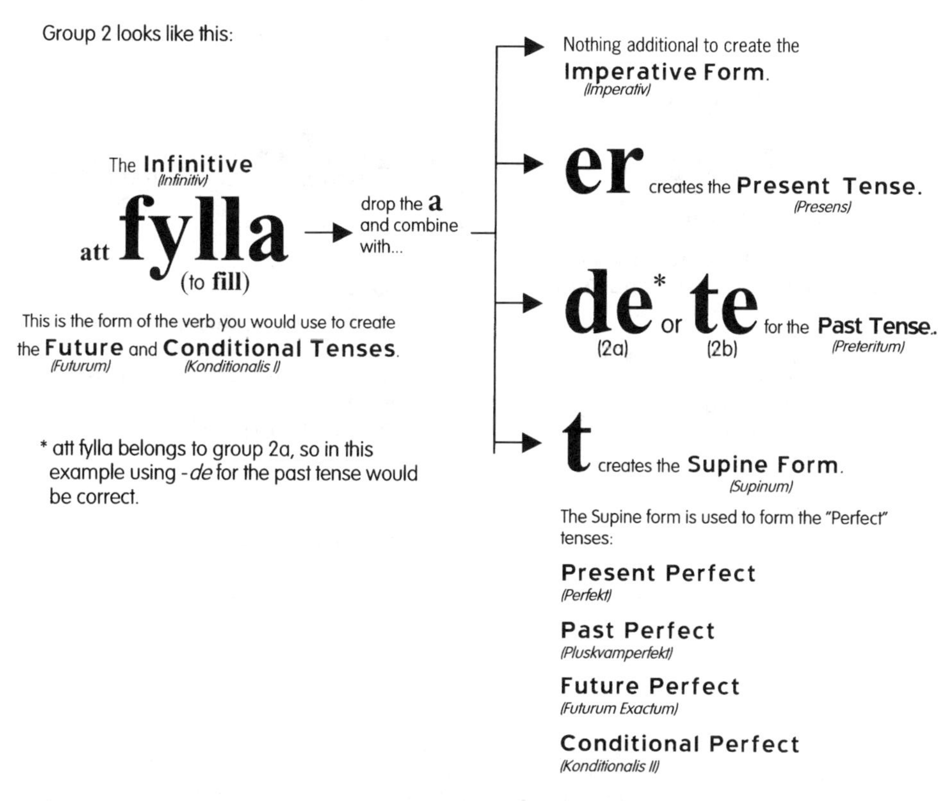

The imperative *(imperativ)* of the verb is formed by dropping the last letter *a* of the infinitive.
The present tense *(presens)* of the verb is formed by dropping the last letter *a* of the infinitive and adding *er*.
The past tense of group 2a *(preteritum)* of the verb is formed by dropping the last letter *a* of the infinitive and adding *de*.
The past tense of group 2b *(preteritum)* of the verb is formed by dropping the last letter *a* of the infinitive and adding *te*.
The supine form *(supinum)* of the verb is formed by dropping the last letter *a* of the infinitive and adding *t*.

Group 3

Group 3 is the most infrequent group, accounting for less than 2% of the verbs in this book. These verbs are usually very short, only two or three letters long. The infintive always ends with a vowel besides *a*.

Group 3 verbs conjugate like this:

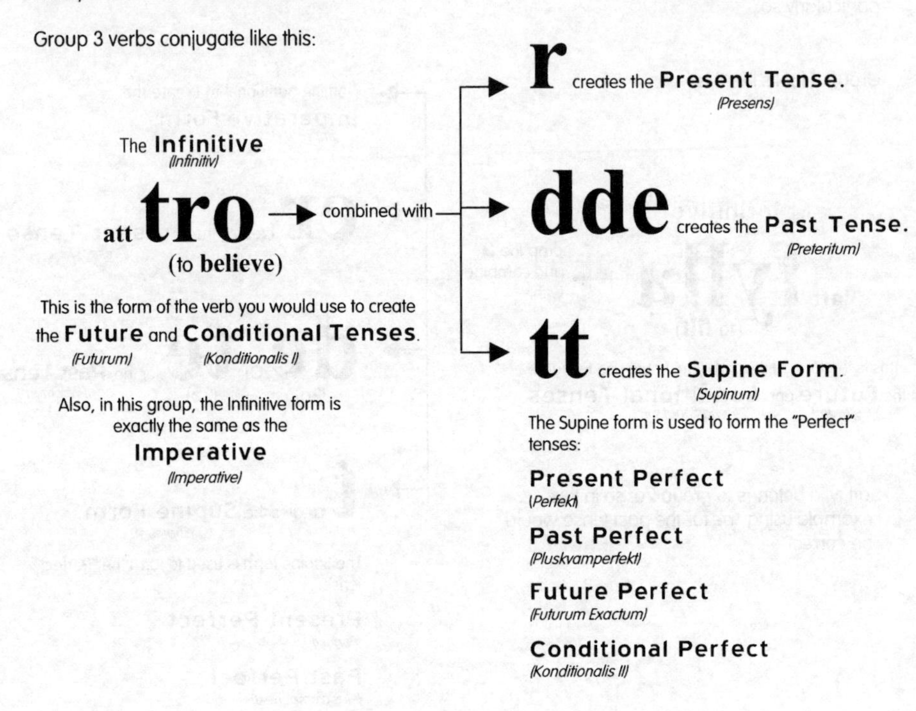

The imperative *(imperativ)* of the verb is the same as the infinitive.
The present tense *(presens tempus)* of the verb is formed by adding the letter *r* to the infinitive.
The past tense *(preteritum tempus)* of the verb is formed by adding *dde* to the infinitive.
The supinum *(supinum)* of the verb is formed by adding *tt* to the infinitive.

Group 4

Group 4 is bad news for several reasons. It consists of irregular verbs, which don't follow any particular conjugation rules, and so-called "Strong" verbs, that do follow rules that are so complicated that you may not want to bother with them. The verbs in this group only account for 15% of the verbs in this book, but unfortunately they are some of the most common verbs you will use.

Most of the group 4 verbs are the oldest verbs in the Swedish language, and reflect an older conjugation system. These are a special group called "strong" verbs. Their most common characteristic is that the past tense (*preteritum* in Swedish) of the verb usually has a different vowel in it, rather than just changing the ending of the word. There are rules for determining to which vowel you would change, but they are very complicated. It is easier to simply memorize each verb. Also, the supinum, or past perfect form has an *it* ending.

It would be incredibly complicated to attempt to make a conjugation diagram for this verb group. Rather than doing so, we have listed the irregular verbs and the strong verbs in the following two tables.

Irregular Verbs:

Infinitiv	Imperativ	Presens	Preteritum	Supinum	Derivations listed in this book
be[dja]	be!	ber	bad	bett	**tillbe[dja], undanbe[dja]**
dö	dö!	dör	dog	dött	
få	få!	får	fick	fått	
gala	gal!	gal	gol	galit, galt	
ge (giva)	ge!	ger	gav	gett	**ange, avge, formge, ge efter [för], ge sig av/iväg, ge upp, ge ut, ge vika [för], medge, omge, uppge, återge, överge**
gå	gå!	går	gick	gått	**angå, avgå, genomgå, gå av, gå bort, gå ihop, gå med på, gå till, gå under, gå ut på, gå åt, gå över, ingå i, kringgå, pågå, umgås, utgå, utgå ifrån, återgå, övergå**
göra	gör!	gör	gjorde	gjort	**angöra, avgöra, gottgöra, göra åt, göra av med, göra bort sig, göra sig till, göra upp, klargöra, kungöra, offentliggöra, tjänstgöra**
ha	ha!	har	hade	haft	**ha bråttom, ha för sig, ha med sig, ha på sig, inneha**
heta	-	heter	hette	hetat	
kunna	-	kan	kunde	kunnat	
le	le!	ler	log	lett	
lägga	lägg!	lägger	lade	lagt	**anlägga, lägga av, lägga ner, lägga på, lägga sig, lägga sig i, lägga undan, lägga ut, senarelägga, tillägga**
(vara tvungen)	-	måste	var tvungen	varit tvungen or måst	
se	se!	ser	såg	sett	**anse, avse, förbise, förutse, inse, se efter, se ner på, se till, se upp, se ut, återse**
skola	-	ska[ll]	skulle	skolat	

Infinitiv	Imperativ	Presens	Preteritum	Supinum	Derivations listed in this book
stå	stå!	står	stod	stått	**bistå, förstå, kvarstå, missförstå, motstå, påstå, stå emot, stå på, stå på sig, stå ut [med], uppstå, återuppstå**
säga	säg!	säger	sa(de)	sagt	**försäga sig, säga ifrån, säga om, säga till, säga upp, säga upp sig, säga åt**
sälja	sälj!	säljer	sålde	sålt	
vara	var!	är	var	varit	**vara med, vara med om**
veta	-	vet	visste	vetat	
vilja	-	vill	ville	velat	

"Strong" Verbs:

binda	bind!	binder	band	bundit	**förbinda, förbinda sig**
bjuda	bjud!	bjuder	bjöd	bjudit	**erbjuda, förbjuda**
bli[va]	bli!	blir	blev	blivit	**förbli, utebli[va]**
brinna	brinn!	brinner	brann	brunnit	
brista	brist!	brister	brast	brustit	
bryta	bryt!	bryter	bröt	brutit	**avbryta**
bära	bär!	bär	bar	burit	**innebära**
dimpa [ner]	dimp!	dimper	damp	dumpit	
dra[ga]	dra!	drar	drog	dragit	**bedra[ga], bidra[ga], föredra[ga]**
dricka	drick!	dricker	drack	druckit	
driva	driv!	driver	drev	drivit	**överdriva**
drypa	dryp!	dryper	dröp	drupit	
duga	-	duger	dög	dugt, dugit	
dyka	dyk!	dyker	dök	dykt	
falla	fall!	faller	föll	fallit	**anfalla, bönfalla, förefalla, förfalla, överfalla**
fara	far!	far	for	farit	
finna	finn!	finner	fann	funnit	**befinna sig, infinna sig, upfinna**
fisa	fis!	fiser	fes	fisit	
flyga	flyg!	flyger	flög	flugit	
flyta	flyt!	flyter	flöt	flutit	
frysa	frys!	fryser	frös	frusit	**frysa [in], frysa ut**
gjuta	gjut!	gjuter	göt	gjutit	
glida	glid!	glider	gled	glidit	
gnida	gnid!	gnider	gned	gnidit	
gripa	grip!	griper	grep	gripit	**angripa, begripa, förgripa sig på, ingripa**
gråta	gråt!	gråter	grät	gråtit	
hinna	hinn!	hinner	hann	hunnit	
hugga	hugg!	hugger	högg	huggit	**knivhugga, munhuggas**

Infinitiv	Imperativ	Presens	Preteritum	Supinum	Derivations listed in this book
hålla	håll!	håller	höll	hållit	**anhålla, behålla, erhålla, hålla av, hålla efter, hålla ihop, hålla med, hålla om, hålla på med, hålla ut, hushålla, innehålla, underhålla, uppehålla, uppehålla sig**
kliva	kliv!	kliver	klev	klivit	
klyva	klyv!	klyver	klöv	kluvit	
knipa	knip!	kniper	knep	knipit	
knyta	knyt!	knyter	knöt	knutit	
komma	kom!	kommer	kom	kommit	**ankomma, förekomma, komma av sig, komma bort, komma ihåg, komma över, komma överens, komma på, nedkomma, omkomma, åstadkomma, återkomma**
krypa	kryp!	kryper	kröp	krupit	
lida	lid!	lider	led	lidit	**avlida**
ligga	ligg!	ligger	låg	legat	**ligga av sig, ligga i, ligga med, ligga under**
ljuda	ljud!	ljuder	ljöd	ljudit	
ljuga	ljug!	ljuger	ljög	ljugit	
låta	låt!	låter	lät	låtit	**förlåta, låta bli, nedlåta [sig], tillåta**
niga	nig!	niger	neg	nigit	
njuta	njut!	njuter	njöt	njutit	
nypa	nyp!	nyper	nöp	nupit	
pipa	pip!	piper	pep	pipit	
rida	rid!	rider	red	ridit	
rinna	-	rinner	rann	runnit	
riva	riv!	river	rev	rivit	
ryta	ryt!	ryter	röt	rutit	
sitta	sitt!	sitter	satt	suttit	**sitta fast, sitta inne, sitta inne med, sitta åt**
sjuda	-	sjuder	sjöd	sjudit	
sjunga	sjung!	sjunger	sjöng	sjungit	**provsjunga**
sjunka	sjunk!	sjunker	sjönk	sjunkit	**försjunka**
skina	-	skiner	sken	skinit	
skita	skit!	skiter	sket	skitit	
skjuta	skjut!	skjuter	sköt	skjutit	**skjuta upp**
skrida	skrid!	skrider	skred	skridit	
skrika	skrik!	skriker	skrek	skrikit	**gallskrika**
skriva	skriv!	skriver	skrev	skrivit	**beskriva, skriva av, skriva in sig**
skryta	skryt!	skryter	skröt	skrutit	
skära	skär!	skär	skar	skurit	**beskära, omskära**
slippa	slipp!	slipper	slapp	sluppit	
slita	slit!	sliter	slet	slitit	

Infinitiv	Imperativ	Presens	Preteritum	Supinum	Derivations listed in this book
sluta (transitive form)	slut!	sluter	slöt	slutit	**ansluta, besluta [sig], försluta**
slå	slå!	slår	slog	slagit	**anslå, avslå, föreslå, köpslå, slå av, slå fast, slå igenom, slå in, slå runt, slå sig, slå sig ner, slå upp, slå ut, slå vad, slåss**
smita	smit!	smiter	smet	smitit	
smyga	smyg!	smyger	smög	smugit	
snyta	snyt!	snyter	snöt	snutit	
sova	sov!	sover	sov	sovit	
spinna	spinn!	spinner	spann	spunnit	
spricka	sprick!	spricker	sprack	spruckit	
springa	spring!	springer	sprang	sprungit	
sticka	stick!	sticker	stack	stuckit	
stiga	stig!	stiger	steg	stigit	**landstiga**
stinka	stink!	stinker	stank	-	
stjäla	stjäl!	stjäl	stal	stulit	
strida	strid!	strider	stred	stridit (stritt)	
stryka	stryk!	stryker	strök	strukit	**understrycka**
strypa	stryp!	stryper	ströp	strupit	
suga	sug!	suger	sög	sugit	**dammsuga, suga upp**
supa	sup!	super	söp	supit	
svida	-	svider	sved	svidit	
svika	svik!	sviker	svek	svikit	
svälta	svält!	svälter	svalt	svultit	
svära	svär!	svär	svor	svurit	
ta[ga]	ta!	tar	tog	tagit	**anta[ga], delta[ga], godta[ga], iaktta[ga], missta[ga], ta av sig, ta emot, ta för sig, ta i, ta igen sig, ta med, ta om, ta på sig, ta sig an, ta sig till, ta till, ta tillbaka, ta vägen, våldta[ga], överta[ga]**
tiga	tig!	tiger	teg	tigit	
tjuta	tjut!	tjuter	tjöt	tjutit	
vika	vik!	viker	vek	vikit	
vina	vin!	viner	ven	vinit	
vinna	vinn!	vinner	vann	vunnit	**utvinna, vinna på, återvinna, övervinna**
vrida	vrid!	vrider	vred	vridit	**vrida sig, vrida upp**
äta	ät!	äter	åt	ätit	

Part Three: The Verb Tables

If you look at the tables in this book, you will see that each table looks like this:

Infinitiv	Gr.	Definition & Notes	Imperativ	Presens	Preteritum	Supinum
råda	2a	advise, counsel	råd!	råder	rådde	rått
råka	1	happen to, happen upon	råka!	råkar	råkade	råkat
råma	1	moo (like a cow)	råma!	råmar	råmade	råmat
räcka	2b	reach, pass, be enough	räck!	räcker	räckte	räckt
räfsa	1	rake	räfsa!	räfsar	räfsade	räfsat

Column One ("Infinitiv")

In column one, the infinitives (*infintiv* in Swedish) are arranged in alphabetical order. Please note that for clarity, the Swedish preposition *att* is not shown with the verb. It functions in exactly the same way as the word *to* does in English infinitive verbs. So, when you read these tables you should think of the verbs with *att* added to complete the infinitive form. For example, **råda**, the first example listed above, would be more properly expressed in its infinitive form as **att råda**, meaning "**to** advise" or "**to** counsel".

As noted in the previous paragraph, this list is alphabetized. However, the Swedish alphabet is slightly different than the English in the following ways:

- It is uncommon to see words using the letters *C, Q, X* or *Z*. These letters are mostly used in words that come from another language. Only a handful of words are listed under *'C'*, only one under *'Z'*, and none under *'Q'* or *'X'*.
- The letters *V* and *W* are treated the same, *W* being to Swedes a double *V*. There are no verbs in this book which start with the letter *W*.
- Swedish has three additional letters, the vowels, Å, Ä and Ö. They come (in that order) after the letter *Z*. Verbs that begin with these letters will be found at the end of the book, not under *A* or *O*.

Column Two ("Gr.")

In column two of the verb tables, the *Verb Group* is listed. In Swedish, there are four distinct groups of verbs, and each group has a different set of conjugation rules. It is enormously important for you to learn the rules to each group. You may come across the past tense of a verb in the newspaper, for example, and if you know the rules, you can infer the other forms of the verb.

These rules are listed in detail in the section of this book called "Guide to the Verb Forms"

Column Three ("Definition & Notes")

Column Three provides the English definition and notes on the usage of the verb. In addition to verbs that are considered standard to the Swedish language, we have made an effort to include verbs that are informal and even some that are downright vulgar. Column Three clearly indicates if a verb is more suitable for informal situations, or perhaps not suitable at all.

Columns Four through Seven ("Imperative", "Presens", "Preteritum", and "Supinum")

These are the four forms (besides the Infinitive) which you will need to know to build all of the verb tenses. See the section of this book entitled "Conjugation Guide" for information on how to use these forms.

Please note: In Swedish, there is no need to conjugate verbs according to subject and number. In other words, you don't need to know a conjugation for *first person singular*, or *third person plural*. All subjects are conjugated the same regardless of number.

In Column Four the imperative form (in Swedish, *imperativ*) of the verb is listed. In some phrasal verbs, the verb is combined with a reflexive pronoun such as *dig, er, mig,* or *sig*. It should be noted that for reasons of clarity that *sig* is listed as the reflexive pronoun in all tenses, except in the imperative, where *dig* (or occasionally *er)* is used. In the imperative, it is only possible to use a second person reflexive pronoun.

Also, there are some verbs where the imperative and/or other forms have been omitted. This has been done in cases where use of these forms would be either impossible or very improbable.

A

Infinitiv	Gr.	Definition & Notes	Imperativ	Presens	Preteritum	Supinum
abdikera	1	abdicate	abdikera!	abdikerar	abdikerade	abdikerat
abonnera	1	hire, charter, subscribe	abonnera!	abonnerar	abonnerade	abonnerat
absorbera	1	absorb	absorbera!	absorberar	absorberade	absorberat
accelerera	1	accelerate, increase speed	accelerera!	accelererar	accelererade	accelererat
acceptera	1	accept	acceptera!	accepterar	accepterade	accepterat
acklimatisera	1	acclimatize, adapt oneself	acklimatisera!	acklimatiserar	acklimatiserade	acklimatiserat
ackompanjera	1	accompany (musically)	ackompanjera!	ackompanjerar	ackompanjerade	ackompanjerat
ackreditera	1	accredit	ackreditera!	ackrediterar	ackrediterade	ackrediterat
ackumulera	1	accumulate	ackumulera!	ackumulerar	ackumulerade	ackumulerat
addera	1	add, add up	addera!	adderar	adderade	adderat
administrera	1	administer, manage	administrera!	administrerar	administrerade	administrerat
adoptera	1	adopt a child	adoptera!	adopterar	adopterade	adopterat
adressera	1	address (mail)	adressera!	adresserar	adresserade	adresserat
affischera	1	advertise with posters or flyers, post bills	affischera!	affischerar	affischerade	affischerat
agera	1	act	agera!	agerar	agerade	agerat
agitera	1	agitate, campaign	agitera!	agiterar	agiterade	agiterat
agna	1	bait a hook	agna!	agnar	agnade	agnat
akta	1	mind, take care	akta!	aktar	aktade	aktat
akta sig	1	watch out, be careful	akta dig!	aktar sig	aktade sig	aktat sig
aktivera	1	activate	aktivera!	aktiverar	aktiverade	aktiverat
alliera sig	1	ally oneself	alliera dig!	allierar sig	allierade sig	allierat sig
alstra	1	generate, produce	alstra!	alstrar	alstrade	alstrat
alternera	1	alternate	alternera!	alternerar	alternerade	alternerat
amma	1	breastfeed	amma!	ammar	ammade	ammat
amputera	1	amputate	amputera!	amputerar	amputerade	amputerat
ana	1	sense, suspect, have a feeling/hunch	-	anar	anade	anat
analysera	1	analyze	analysera!	analyserar	analyserade	analyserat
andas	1	breathe	andas!	andas	andades	andats
anfalla	4	attack	anfall!	anfaller	anföll	anfallit
anföra	2a	lead, head	anför!	anför	anförde	anfört
ange (angiva)	4	mention, state, report, inform, turn somebody in to the police	ange!	anger	angav	angett (angivit)
angripa	4	attack, assail	angrip!	angriper	angrep	angripit
angå	4	concern, have reference to	-	angår	angick	angått
angöra	4	touch at, call at	angör!	angör	angjorde	angjort
anhålla	4	apprehend, arrest, ask, request	anhåll!	anhåller	anhöll	anhållit
animera	1	animate	animera!	animerar	animerade	animerat

anklaga - arrendera

Infinitiv	Gr.	Definition & Notes	Imperativ	Presens	Preteritum	Supinum
anklaga	1	accuse	anklaga!	anklagar	anklagade	anklagat
anknyta	4	connect, attach, refer to	anknyt!	anknyter	anknöt	anknutit
ankomma	4	arrive (mode of transportation)	-	ankommer	ankom	ankommit
anlita	1	consult, engage	anlita!	anlitar	anlitade	anlitat
anlägga	4	build, construct, lay out	anlägg!	anlägger	anlade	anlagt
anlända	2a	arrive	anländ!	anländer	anlände	anlänt
anlöpa	2b	call at, touch at, put in at (boat, ship)	anlöp!	anlöper	anlöpte	anlöpt
anmäla	2a	sign up, enroll, report, turn somebody in	anmäl!	anmäler	anmälde	anmält
anmärka	2b	remark, note, find fault	anmärk!	anmärker	anmärkte	anmärkt
annonsera	1	advertise	annonsera!	annonserar	annonserade	annonserat
annullera	1	annul	annullera!	annullerar	annullerade	annullerat
anordna	1	arrange	anordna!	anordnar	anordnade	anordnat
anpassa	1	adapt, conform	anpassa!	anpassar	anpassade	anpassat
anropa	1	call, hail	anropa!	anropar	anropade	anropat
anrätta	1	prepare, cook	anrätta!	anrättar	anrättade	anrättat
ansa	1	prune, tend	ansa!	ansar	ansade	ansat
anse	4	consider, be of the opinion	-	anser	ansåg	ansett
ansluta	4	connect, join	anslut!	ansluter	anslöt	anslutit
anslå	4	allocate, allot, devote	anslå!	anslår	anslog	anslått
anstränga	2a	make an effort, try hard, strain	ansträng!	anstränger	ansträngde	ansträngt
anställa	2a	employ, hire	anställ!	anställer	anställde	anställt
ansvara	1	be responsible for, be in charge of	ansvara!	ansvarar	ansvarade	ansvarat
ansöka	2b	apply for	ansök!	ansöker	ansökte	ansökt
anta[ga]	4	suppose	anta[g]!	antar	antog	antagit
antasta	1	harass, molest	antasta!	antastar	antastade	antastat
anteckna	1	take notes	anteckna!	antecknar	antecknade	antecknat
antyda	2a	hint, suggest	antyd!	antyder	antydde	antytt
antända	2a	set fire to, enflame	antänd!	antänder	antände	antänt
anvisa	1	allot, assign	anvisa!	anvisar	anvisade	anvisat
använda	2a	use, utilize	använd!	använder	använde	använt
applicera	1	apply, fasten	applicera!	applicerar	applicerade	applicerat
applådera	1	applaud	applådera!	applåderar	applåderade	applåderat
arbeta	1	work	arbeta!	arbetar	arbetade	arbetat
argumentera	1	argue	argumentera!	argumenterar	argumenterade	argumenterat
arkivera	1	archive, file	arkivera!	arkiverar	arkiverade	arkiverat
armera	1	reinforce	armera!	armerar	armerade	armerat
arrangera	1	arrange	arrangera!	arrangerar	arrangerade	arrangerat
arrendera	1	lease/rent land	arrendera!	arrenderar	arrenderade	arrenderat

Infinitiv	Gr.	Definition & Notes	Imperativ	Presens	Preteritum	Supinum
arrestera	1	arrest	arrestera!	arresterar	arresterade	arresterat
arta sig	1	show promise, develop into	-	artar sig	artade sig	artat sig
aspirera	1	aspire	aspirera!	aspirerar	aspirerade	aspirerat
assimilera	1	assimilate	assimilera!	assimilerar	assimilerade	assimilerat
assistera	1	assist	assistera!	assisterar	assisterade	assisterat
associera	1	associate	associera!	associerar	associerade	associerat
attackera	1	attack	attackera!	attackerar	attackerade	attackerat
auktionera	1	auction	auktionera!	auktionerar	auktionerade	auktionerat
auktorisera	1	authorize, license	auktorisera!	auktoriserar	auktoriserade	auktoriserat
avancera	1	advance, get promoted	avancera!	avancerar	avancerade	avancerat
avbeställa	2a	cancel (an order for)	avbeställ!	avbeställer	avbeställde	avbeställt
avbilda	1	depict, portray	avbilda!	avbildar	avbildade	avbildat
avboka	1	cancel (a reservation)	avboka!	avbokar	avbokade	avbokat
avbryta	4	interrupt	avbryt!	avbryter	avbröt	avbrutit
avböja	2a	decline, refuse	avböj!	avböjer	avböjde	avböjt
avdela	1	physically detach, separate, partition	avdela!	avdelar	avdelade	avdelat
avdunsta	1	evaporate, vaporize	avdunsta!	avdunstar	avdunstade	avdunstat
avfrosta	1	defrost	avfrosta!	avfrostar	avfrostade	avfrostat
avfärda	1	dismiss, brush aside	avfärda!	avfärdar	avfärdade	avfärdat
avge (avgiva)	4	emit, hand in, deliver an opinion	avge!	avger	avgav	avgett (avgivit)
avgifta	1	detoxify	avgifta!	avgiftar	avgiftade	avgiftat
avgränsa	1	demarcate, map out	avgränsa!	avgränsar	avgränsade	avgränsat
avguda	1	idolize, worship, adore	avguda!	avgudar	avgudade	avgudat
avgå	4	resign, depart	avgå!	avgår	avgick	avgått
avgöra	4	determine, decide, settle	avgör!	avgör	avgjorde	avgjort
avla	1	breed, beget	avla!	avlar	avlade	avlat
avlasta	1	relieve pressure, unload	avlasta!	avlastar	avlastade	avlastat
avlida	4	die, pass away	avlid!	avlider	avled	avlidit
avliva	1	put to sleep, euthanize	avliva!	avlivar	avlivade	avlivat
avlyssna	1	intercept, bug, listen to	avlyssna!	avlyssnar	avlyssnade	avlyssnat
avlägsna	1	remove, leave, withdraw	avlägsna!	avlägsnar	avlägsnade	avlägsnat
avrätta	1	execute, put to death	avrätta!	avrättar	avrättade	avrättat
avse	4	intend, mean, have in mind	-	avser	avsåg	avsett
avskeda	1	dismiss, fire, lay off	avskeda!	avskedar	avskedade	avskedat
avsky	3	detest	avsky!	avskyr	avskydde	avskytt
avsluta	1	end, finish, finish up	avsluta!	avslutar	avslutade	avslutat
avslå	4	deny/turn down (a request)	avslå!	avslår	avslog	avslagit
avslöja	1	reveal, expose	avslöja!	avslöjar	avslöjade	avslöjat
avundas	1	envy	avundas!	avundas	avundades	avundats

avväpna - bekymra sig

Infinitiv	Gr.	Definition & Notes	Imperativ	Presens	Preteritum	Supinum
avväpna	1	disarm	avväpna!	avväpnar	avväpnade	avväpnat

B

Infinitiv	Gr.	Definition & Notes	Imperativ	Presens	Preteritum	Supinum
backa	1	back up, reverse	backa!	backar	backade	backat
bada	1	bathe, go swimming	bada!	badar	badade	badat
badda	1	bathe (with washcloth)	badda!	baddar	baddade	baddat
bajsa	1	poop	bajsa!	bajsar	bajsade	bajsat
baka	1	bake	baka!	bakar	bakade	bakat
baktala	1	slander, defame	baktala!	baktalar	baktalade	baktalat
balansera	1	balance, keep one's balance	balansera!	balanserar	balanserade	balanserat
banka	1	knock hard, bang, pound	banka!	bankar	bankade	bankat
banna	1	scold	banna!	bannar	bannade	bannat
banta	1	diet, attempt to lose weight	banta!	bantar	bantade	bantat
basera [något på]	1	base, found	basera!	baserar	baserade	baserat
be[dja]	4	ask for, beg, pray, plead, implore	be[d]!	ber	bad	bett
bebygga	2a	build on, colonize	bebygg!	bebygger	bebyggde	bebyggt
bedra[ga]	4	deceive, cheat	bedra[g]!	bedrar (bedrager)	bedrog	bedragit
bedyra	1	swear, insist	bedyra!	bedyrar	bedyrade	bedyrat
bedöva	1	tranquilize, anaesthetize	bedöva!	bedövar	bedövade	bedövat
befalla	2a	order, command	befall!	befaller	befallde	befallt
befara	1	fear, worry about	befara!	befarar	befarade	befarat
befinna sig	4	be found at, to be at a location	befinn dig!	befinner sig	befann sig	befunnit sig
befolka	1	populate	befolka!	befolkar	befolkade	befolkat
befordra	1	promote	befordra!	befordrar	befordrade	befordrat
befrukta	1	fertilize, inseminate	befrukta!	befruktar	befruktade	befruktat
begagna [sig av]	1	use, utilize	begagna!	begagnar	begagnade	begagnat
begrava	2a	bury	begrav!	begraver	begravde	begravt
begripa	4	comprehend, understand, get	begrip!	begriper	begrep	begripit
begrunda	1	ponder over, contemplate	begrunda!	begrundar	begrundade	begrundat
begränsa	1	limit	begränsa!	begränsar	begränsade	begränsat
begära	2a	demand, request	begär!	begär	begärde	begärt
behaga	1	please	behaga!	behagar	behagade	behagat
behålla	4	keep, retain	behåll!	behåller	behöll	behållit
behärska	1	control, be proficient in	behärska!	behärskar	behärskade	behärskat
behöva	2a	need	-	behöver	behövde	behövt
bekanta sig med	1	acquaint oneself with	bekanta dig med!	bekantar sig med	bekantade sig med	bekantat sig med
bekymra sig	1	trouble, worry oneself	bekymra dig!	bekymrar sig	bekymrade sig	bekymrat sig

Infinitiv	Gr.	Definition & Notes	Imperativ	Presens	Preteritum	Supinum
bekämpa	1	fight, combat, use pesticides	bekämpa!	bekämpar	bekämpade	bekämpat
belöna	1	reward	belöna!	belönar	belönade	belönat
bemöda sig	1	take pains, exert oneself	bemöda dig!	bemödar sig	bemödade sig	bemödat sig
bemöta	2b	respond, answer, receive, treat	bemöt!	bemöter	bemötte	bemött
benåda	1	pardon, reprieve	benåda!	benådar	benådade	benådat
beordra	1	order (somebody to do something)	beordra!	beordrar	beordrade	beordrat
bereda sig [på]	2a	prepare oneself (for)	bered dig!	bereder sig	beredde sig	berett sig
bero [på]	3	depend (on)	-	beror	berodde	berott
berusa	1	intoxicate, get drunk/tipsy	berusa!	berusar	berusade	berusat
berätta	1	tell, relate, recount	berätta!	berättar	berättade	berättat
berättiga [till]	1	entitle, empower	-	berättigar	berättigade	berättigat
berömma	2a	praise	beröm!	berömmer	berömde	berömt
beröra	2a	touch, graze, affect	berör!	berör	berörde	berört
beskriva	4	describe	beskriv!	beskriver	beskrev	beskrivit
beskylla	2a	accuse	beskyll!	beskyller	beskyllde	beskyllt
beskära	4	crop, prune, trim	beskär!	beskär	beskar	beskurit
besluta	1	decide, decree, resolve	besluta!	beslutar	beslutade	beslutat
bestraffa	1	punish	bestraffa!	bestraffar	bestraffade	bestraffat
beställa	2a	request, order	beställ!	beställer	beställde	beställt
bestämma	2a	decide, be in charge	bestäm!	bestämmer	bestämde	bestämt
bestämma sig	2a	make up one's mind	bestäm dig!	bestämmer sig	bestämde sig	bestämt sig
besvära	1	bother, trouble	besvära!	besvärar	besvärade	besvärat
besöka	2b	visit	besök!	besöker	besökte	besökt
beta	1	graze (like cattle)	beta!	betar	betade	betat
betala	1	pay	betala!	betalar	betalade	betalat
bete sig	3	behave, act	bete dig!	beter sig	betedde sig	betett sig
betona	1	stress, emphasize	betona!	betonar	betonade	betonat
betrakta	1	look at, contemplate	betrakta!	betraktar	betraktade	betraktat
betyda	2a	mean	-	betyder	betydde	betytt
beundra	1	admire	beundra!	beundrar	beundrade	beundrat
bevaka	1	guard, watch, cover	bevaka!	bevakar	bevakade	bevakat
bevisa	1	prove	bevisa!	bevisar	bevisade	bevisat
bevista	1	attend	bevista!	bevistar	bevistade	bevistat
beväpna	1	arm	beväpna!	beväpnar	beväpnade	beväpnat
bidra[ga]	4	contribute	bidra[g]!	bidrar	bidrog	bidragit
bikta sig	1	say confession (to a priest)	bikta dig!	biktar sig	biktade sig	biktat sig
bila	1	go/travel by car	bila!	bilar	bilade	bilat
bilda	1	form, found, educate	bilda!	bildar	bildade	bildat
binda	4	bind, tie	bind!	binder	band	bundit

Infinitiv	Gr.	Definition & Notes	Imperativ	Presens	Preteritum	Supinum
bistå	4	aid, assist, help	bistå!	bistår	bistod	bistått
bita	4	bite	bit!	biter	bet	bitit
bjuda	4	invite, treat, bid	bjud!	bjuder	bjöd	bjudit
blanda	1	mix, mingle, blend, shuffle	blanda!	blandar	blandade	blandat
bleka	2b	bleach	blek!	bleker	blekte	blekt
blekna	1	turn pale, fade	blekna!	bleknar	bleknade	bleknat
bli[va]	4	become	bli!	blir	blev	blivit
blockera	1	block, jam	blockera!	blockerar	blockerade	blockerat
blomma	1	bloom	blomma!	blommar	blommade	blommat
blotta	1	expose, bare, flash	blotta!	blottar	blottade	blottat
bluffa	1	bluff, lie	bluffa!	bluffar	bluffade	bluffat
blunda	1	shut one's eyes	blunda!	blundar	blundade	blundat
blåsa	2b	blow, inflate, be windy	blås!	blåser	blåste	blåst
bläddra	1	browse or peruse (a book)	bläddra!	bläddrar	bläddrade	bläddrat
blända	1	blind, dazzle	blända!	bländar	bländade	bländat
blänka	2b	glisten, gleam, reflect	blänk!	blänker	blänkte	blänkt
blästra	1	blast	blästra!	blästrar	blästrade	blästrat
blöda	2a	bleed	blöd!	blöder	blödde	blött
blöta	2b	wet, soak	blöt!	blöter	blötte	blött
bo	3	reside, live somewhere, stay	bo!	bor	bodde	bott
bocka sig	1	bow	bocka dig!	bockar sig	bockade sig	bockat sig
boka	1	book, reserve	boka!	bokar	bokade	bokat
bokstavera	1	spell	bokstavera!	bokstaverar	bokstaverade	bokstaverat
bolla	1	play with a ball, juggle	bolla!	bollar	bollade	bollat
bomba	1	bomb	bomba!	bombar	bombade	bombat
borra	1	bore or drill a hole	borra!	borrar	borrade	borrat
borsta	1	brush	borsta!	borstar	borstade	borstat
bosätta sig	2b	settle/reside somewhere	bosätt dig!	bosätter sig	bosatte sig	bosatt sig
bota	1	cure, remedy	bota!	botar	botade	botat
bowla	1	bowl	bowla!	bowlar	bowlade	bowlat
boxa	1	box (as in *boxing*), punch	boxa!	boxar	boxade	boxat
bre[da]	3, (2a)	spread, butter	bre[d]!	brer	bredde	brett
briljera	1	show off, shine	briljera!	briljerar	briljerade	briljerat
brinna	4	burn	brinn!	brinner	brann	brunnit
brista	4	burst, break	brist!	brister	brast	brustit
brodera	1	embroider	brodera!	broderar	broderade	broderat
bromsa	1	brake	bromsa!	bromsar	bromsade	bromsat
brottas	1	wrestle	brottas!	brottas	brottades	brottats
bruka	1	use, be in the habit of, cultivate	bruka!	brukar	brukade	brukat

Infinitiv	Gr.	Definition & Notes	Imperativ	Presens	Preteritum	Supinum
bry sig om	3	care about	bry dig om!	bryr sig om	brydde sig om	brytt sig om
brygga	2a	brew	brygg!	brygger	bryggde	bryggt
bryna	2b	fry, sauté, hone	bryn!	bryner	brynte	brynt
bryta	4	break, mine	bryt!	bryter	bröt	brutit
bråka	1	fight, be noisy, cause a disturbance	bråka!	bråkar	bråkade	bråkat
brås på [någon]	3	resemble (physically or in temperament)	-	brås på	bråddes på	bråtẗs på
bräcka	2b	break, crack, outdo, surpass	bräck!	bräcker	bräckte	bräckt
bräda	1	cut out a person, force a person out	bräda!	brädar	brädade	brädat
bräka	2b	bleat (like a sheep)	bräk!	bräker	bräkte	bräkt
bränna	2a	burn, incinerate, singe, cauterize, distill alcohol	bränn!	bränner	brände	bränt
bränna sig	2a	burn oneself, get stung by nettles	bränn dig!	bränner sig	brände sig	bränt sig
buga [sig]	1	bow, bow down to someone	buga!	bugar	bugade	bugat
bullra	1	rumble, make a noise	bullra!	bullrar	bullrade	bullrat
bura in	1	**Informal** imprison, jail	bura in!	burar in	burade in	burat in
busa	1	do mischief	busa!	busar	busade	busat
bussa	1	transport people by bus	bussa!	bussar	bussade	bussat
bygga	2a	build, construct	bygg!	bygger	byggde	byggt
byta	2b	change, exchange, switch	byt!	byter	bytte	bytt
bänka sig	1	take one's seat	bänka dig!	bänkar sig	bänkade sig	bänkat sig
bära	4	carry, bear	bär!	bär	bar	burit
bättra sig	1	improve oneself	bättra dig!	bättrar sig	bättrade sig	bättrat sig
bäva	1	quake, dread	bäva!	bävar	bävade	bävat
böja	2a	bend, curve, conjugate, flex	böj!	böjer	böjde	böjt
böja sig	2a	bend down, lean, curve, yield, give in, acquiesce	böj dig!	böjer sig	böjde sig	böjt sig
böla	1	cry, whimper	böla!	bölar	bölade	bölat
bönfalla	4	beg, plead	bönfall!	bönfaller	bönföll	bönfallit
böra	2a	ought to	-	bör	borde	bort
börja	1	begin	börja!	börjar	började	börjat
böta	1	pay a fine, be fined	böta!	bötar	bötade	bötat

C

campa	1	go camping	campa!	campar	campade	campat
censurera	1	censor	censurera!	censurerar	censurerade	censurerat
centralisera	1	centralize	centralisera!	centraliserar	centraliserade	centraliserat
centrera	1	center	centrera!	centrerar	centrerade	centrerat
centrifugera	1	spin-dry	centrifugera!	centrifugerar	centrifugerade	centrifugerat
certifiera	1	certify	certifiera!	certifierar	certifierade	certifierat

Infinitiv	Gr.	Definition & Notes	Imperativ	Presens	Preteritum	Supinum
chansa	1	take a chance	chansa!	chansar	chansade	chansat
charma	1	charm	charma!	charmar	charmade	charmat
chartra	1	charter	chartra!	chartrar	chartrade	chartrat
checka in	1	check in (at airport)	checka in!	checkar in	checkade in	checkat in
chocka	1	shock	chocka!	chockar	chockade	chockat
cirkulera	1	circulate, send round	cirkulera!	cirkulerar	cirkulerade	cirkulerat
citera	1	quote	citera!	citerar	citerade	citerat
cykla	1	ride a bicycle	cykla!	cyklar	cyklade	cyklat

D

dala	1	fall/descend slowly	-	dalar	dalade	dalat
dalta [med]	1	pamper, indulge	dalta!	daltar	daltade	daltat
damma	1	dust off, raise/make a lot of dust	damma!	dammar	dammade	dammat
dammsuga	4	vacuum	dammsug!	dammsuger	dammsög	dammsugit
dansa	1	dance	dansa!	dansar	dansade	dansat
darra	1	shiver	darra!	darrar	darrade	darrat
datera	1	date (to determine time)	datera!	daterar	daterade	daterat
debattera	1	debate, discuss	debattera!	debatterar	debatterade	debatterat
debitera	1	charge, debit	debitera!	debiterar	debiterade	debiterat
debutera	1	debut	debutera!	debuterar	debuterade	debuterat
decimera	1	decimate, heavily reduce	decimera!	decimerar	decimerade	decimerat
deformera	1	deform, disfigure	deformera!	deformerar	deformerade	deformerat
dega	1	**informal** lounge, sit and do nothing	dega!	degar	degade	degat
degradera	1	degrade, demote	degradera!	degraderar	degraderade	degraderat
deklarera	1	declare, file one's tax return	deklarera!	deklarerar	deklarerade	deklarerat
dela	1	divide, deal out, share	dela!	delar	delade	delat
delta[ga]	4	participate, take part, collaborate	delta[g]!	deltar	deltog	deltagit
demonstrera	1	demonstrate	demonstrera!	demonstrerar	demonstrerade	demonstrerat
demontera	1	dismantle, strip something down	demontera!	demonterar	demonterade	demonterat
deponera	1	deposit (money)	deponera!	deponerar	deponerade	deponerat
deportera	1	deport	deportera!	deporterar	deporterade	deporterat
deppa	1	**informal** be depressed, sad	deppa!	deppar	deppade	deppat
designa	1	design	designa!	designar	designade	designat
desinficera	1	disinfect	desinficera!	desinficerar	desinficerade	desinficerat
destillera	1	distill	destillera!	destillerar	destillerade	destillerat
detonera	1	detonate	detonera!	detonerar	detonerade	detonerat
devalvera	1	devalue	devalvera!	devalverar	devalverade	devalverat
diagnostisera	1	diagnose	diagnostisera!	diagnostiserar	diagnostiserade	diagnostiserat

Infinitiv	Gr.	Definition & Notes	Imperativ	Presens	Preteritum	Supinum
dikta	1	write poetry, make up a story	dikta!	diktar	diktade	diktat
diktera	1	dictate	diktera!	dikterar	dikterade	dikterat
dimpa [ner]	4	**informal** drop down	dimp!	dimper	damp	dumpit
dingla	1	dangle	dingla!	dinglar	dinglade	dinglat
diska	1	**1** do dishes **2 informal** disqualify	diska!	diskar	diskade	diskat
diskriminera	1	discriminate	diskriminera!	diskriminerar	diskriminerade	diskriminerat
diskutera	1	discuss	diskutera!	diskuterar	diskuterade	diskuterat
diskvalificera	1	disqualify	diskvalificera!	diskvalificerar	diskvalificerade	diskvalificerat
disponera	1	dispose of, have access to	disponera!	disponerar	disponerade	disponerat
disputera	1	defend a doctoral thesis	disputera!	disputerar	disputerade	disputerat
distrahera	1	distract	distrahera!	distraherar	distraherade	distraherat
distribuera	1	distribute	distribuera!	distribuerar	distribuerade	distribuerat
doktorera	1	receive a doctoral degree	doktorera!	doktorerar	doktorerade	doktorerat
dokumentera	1	document, give evidence of	dokumentera!	dokumenterar	dokumenterade	dokumenterat
domna	1	go numb, go to sleep (as in a limb)	domna!	domnar	domnade	domnat
dona	1	potter about	dona!	donar	donade	donat
donera	1	donate, give	donera!	donerar	donerade	donerat
doppa	1	dip	doppa!	doppar	doppade	doppat
dosera	1	dose	dosera!	doserar	doserade	doserat
dra[ga]	4	pull, draw, haul, drag, tow	dra[g]!	drar	drog	dragit
dra[ga] ut	4	extract, prolong, stretch out, go forth	dra[g] ut!	drar ut	drog ut	dragit ut
drabba	1	befall, afflict	drabba!	drabbar	drabbade	drabbat
drapera	1	drape	drapera!	draperar	draperade	draperat
dratta	1	**informal** take a fall	dratta!	drattar	drattade	drattat
dregla	1	drool	dregla!	dreglar	dreglade	dreglat
dressera	1	train an animal	dressera!	dresserar	dresserade	dresserat
dribbla	1	dribble a ball	dribbla!	dribblar	dribblade	dribblat
dricka	4	drink	drick!	dricker	drack	druckit
driva	4	operate, run	driv!	driver	drev	drivit
driva med	4	make fun of somebody, pull somebody's leg	driv med!	driver med	drev med	drivit med
droga	1	drug	droga!	drogar	drogade	drogat
droppa	1	drip	droppa!	droppar	droppade	droppat
drunkna	1	drown	drunkna!	drunknar	drunknade	drunknat
drypa	4	drip profusely, be soaked	dryp!	dryper	dröp	drupit
drämma till	2a	**informal** hit, slap	dräm till!	drämmer till	drämde till	drämt till
dräpa	2b	murder, kill, commit manslaughter	dräp!	dräper	dräpte	dräpt
dröja	2a	linger, wait, be late (in coming)	dröj!	dröjer	dröjde	dröjt
drömma	2a	dream	dröm!	drömmer	drömde	drömt

dubbelklicka - erkänna

Infinitiv	Gr.	Definition & Notes	Imperativ	Presens	Preteritum	Supinum
dubbelklicka	1	double click	dubbelklicka!	dubbelklickar	dubbelklickade	dubbelklickat
dubblera	1	double	dubblera!	dubblerar	dubblerade	dubblerat
duga	4	do, be adequate	-	duger	dög	dugt
dugga	1	drizzle, rain very lightly	dugga!	duggar	duggade	duggat
duka	1	lay/set the table	duka!	dukar	dukade	dukat
duka under	1	succumb [to]	duka under!	dukar under	dukade under	dukat under
dumpa	1	dump, tip over	dumpa!	dumpar	dumpade	dumpat
dupera	1	dupe, take in	dupera!	duperar	duperade	duperat
duplicera	1	duplicate	duplicera!	duplicerar	duplicerade	duplicerat
duscha	1	shower	duscha!	duschar	duschade	duschat
dyka	4	dive	dyk!	dyker	dök	dykt
dyrka	1	worship, adore, pick a lock	dyrka!	dyrkar	dyrkade	dyrkat
dåna	1	thunder, roar, rumble, boom, swoon, faint	dåna!	dånar	dånade	dånat
dåsa	1	doze, drift off, nap	dåsa!	dåsar	dåsade	dåsat
däcka	1	**informal** pass out	däcka!	däckar	däckade	däckat
dämpa	1	reduce, moderate, check	dämpa!	dämpar	dämpade	dämpat
dö	4	die, pass away, perish	dö!	dör	dog	dött
döda	1	kill, slay	döda!	dödar	dödade	dödat
dölja	2a	conceal, hide, withold, veil	dölj!	döljer	dolde	dolt
döma	2a	judge, sentence, condemn, referee	döm!	dömer	dömde	dömt
döpa	2b	baptize, name, christen, nickname	döp!	döper	döpte	döpt

E

ebba ut	1	ebb away, recede	ebba ut!	ebbar ut	ebbade ut	ebbat ut
effektivisera	1	make more effective	effektivisera!	effektiviserar	effektiviserade	effektiviserat
egga	1	incite, stir up	egga!	eggar	eggade	eggat
eka	1	echo	eka!	ekar	ekade	ekat
elda	1	make a fire, burn [up]	elda!	eldar	eldade	eldat
eliminera	1	eliminate	eliminera!	eliminerar	eliminerade	eliminerat
emigrera	1	emigrate	emigrera!	emigrerar	emigrerade	emigrerat
ena	1	unite, unify	ena!	enar	enade	enat
ena sig om	1	agree, reach an understanding	ena sig om!	enar sig om	enade sig om	enat sig om
engagera	1	engage, hire, become involved in	engagera!	engagerar	engagerade	engagerat
envisas	2a	persist, be obstinate	envisas!	envisas	envisades	envisats
erbjuda	4	offer, volunteer	erbjud!	erbjuder	erbjöd	erbjudit
erhålla	4	receive, obtain	erhåll!	erhåller	erhöll	erhållit
erkänna	2a	confess, acknowledge	erkänn!	erkänner	erkände	erkänt

Infinitiv	Gr.	Definition & Notes	Imperativ	Presens	Preteritum	Supinum
ersätta	2b	replace, supersede, compensate	ersätt!	ersätter	ersatte	ersatt
ertappa	1	catch somebody doing something	ertappa!	ertappar	ertappade	ertappat
erövra	1	conquer, capture	erövra!	erövrar	erövrade	erövrat
eskortera	1	escort	eskortera!	eskorterar	eskorterade	eskorterat
etablera	1	establish, settle down	etablera!	etablerar	etablerade	etablerat
etsa	1	etch, engrave	etsa!	etsar	etsade	etsat
evakuera	1	evacuate	evakuera!	evakuerar	evakuerade	evakuerat
exemplifiera	1	exemplify	exemplifiera!	exemplifierar	exemplifierade	exemplifierat
existera	1	exist, subsist	existera!	existerar	existerade	existerat
exkludera	1	exclude	exkludera!	exkluderar	exkluderade	exkluderat
expandera	1	expand	expandera!	expanderar	expanderade	expanderat
expediera	1	expedite, carry out, serve	expediera!	expedierar	expedierade	expedierat
experimentera	1	experiment	experimentera!	experimenterar	experimenterade	experimenterat
exploatera	1	exploit	exploatera!	exploaterar	exploaterade	exploaterat
explodera	1	explode	explodera!	exploderar	exploderade	exploderat
exportera	1	export	exportera!	exporterar	exporterade	exporterat
extraknäcka	2b	have a job on the side, moonlight	extraknäck!	extraknäcker	extraknäckte	extraknäckt

F

Infinitiv	Gr.	Definition & Notes	Imperativ	Presens	Preteritum	Supinum
fabricera	1	fabricate, manufacture, make up	fabricera!	fabricerar	fabricerade	fabricerat
fakturera	1	bill, invoice	fakturera!	fakturerar	fakturerade	fakturerat
falla	4	fall, drop, slump	fall!	faller	föll	fallit
fanera	1	veneer	fanera!	fanerar	fanerade	fanerat
fantisera	1	fantasize	fantisera!	fantiserar	fantiserade	fantiserat
fara	4	travel, go	far!	far	for	farit
fascinera	1	fascinate	fascinera!	fascinerar	fascinerade	fascinerat
fasta	1	fast (refrain from eating)	fasta!	fastar	fastade	fastat
fastna	1	get stuck, caught	fastna!	fastnar	fastnade	fastnat
fatta	1	**informal** comprehend, grasp, understand	fatta!	fattar	fattade	fattat
fattas	2a	be missing/lacking	fattas!	fattas	fattades	fattats
favorisera	1	favor, give preferential treatment	favorisera!	favoriserar	favoriserade	favoriserat
fejka	1	**informal** fake	fejka!	fejkar	fejkade	fejkat
festa	1	party, feast	festa!	festar	festade	festat
fiffla	1	cheat, swindle	fiffla!	fifflar	fifflade	fifflat
figurera	1	appear, figure	-	figurerar	figurerade	figurerat
fika	1	**informal** have a coffee break, snack	fika!	fikar	fikade	fikat

Infinitiv	Gr.	Definition & Notes	Imperativ	Presens	Preteritum	Supinum
fila	1	grind, cut, or shape with a file	fila!	filar	filade	filat
filma	1	**1** film, shoot **2 informal** sham, pretend	filma!	filmar	filmade	filmat
fimpa	1	**informal** put out a cigarette	fimpa!	fimpar	fimpade	fimpat
finna	4	find, come across, detect, discover, perceive	finn!	finner	fann	funnit
finnas	4	be, exist, occur, remain, survive	-	finns	fanns	funnits
fira	1	celebrate	fira!	firar	firade	firat
fisa	4	**informal** break wind, fart	fis!	fiser	fes	fisit
fiska	1	fish, go fishing	fiska!	fiskar	fiskade	fiskat
fixa	1	**informal** fix, repair, carry out, see to it	fixa!	fixar	fixade	fixat
fjäska	1	suck up, ingratiate	fjäska!	fjärskar	fjäskade	fjäskat
flagga	1	fly a flag	flagga!	flaggar	flaggade	flaggat
flina	1	grin, sneer	flina!	flinar	flinade	flinat
flirta (flörta)	1	flirt	flirta!	flirtar	flirtade	flirtat
flumma	1	**informal** be or act drugged, dazed or listless	flumma!	flummar	flummade	flummat
fly	3	flee, run away	fly!	flyr	flydde	flytt
flyga	4	fly, travel by airplane	flyg!	flyger	flög	flugit
flyta	4	float, flow, be fluid	flyt!	flyter	flöt	flutit
flytta	1	move, remove, relocate, migrate	flytta!	flyttar	flyttade	flyttat
flåsa	1	pant, breathe heavily	flåsa!	flåsar	flåsade	flåsat
fläkta	1	fan, breeze	fläkta!	fläktar	fläktade	fläktat
flänga	2a	dash about, run around	fläng!	flänger	flängde	flängt
flöda	1	flow in abundance, stream	flöda!	flödar	flödade	flödat
fnissa	1	giggle	fnissa!	fnissar	fnissade	fnissat
fnittra	1	giggle	fnittra!	fnittrar	fnittrade	fnittrat
fnysa	2b, 4	snort	fnys!	fnyser	fnyste, fnös	fnyst
foga	1	create a joint, connect	foga!	fogar	fogade	fogat
foga sig [i/efter]	1	resign oneself to, comply	foga dig!	fogar sig	fogade sig	fogat sig
fordra	1	demand, require	fordra!	fordrar	fordrade	fordrat
forma	1	shape, form	forma!	formar	formade	format
formatera	1	format	formatera!	formaterar	formaterade	formaterat
formge (formgiva)	4	design, craft	formge! (formgiv!)	formger	formgav	formgett (formgivit)
forska	1	do research, investigate	forska!	forskar	forskade	forskat
forsla	1	transport, remove	forsla!	forslar	forslade	forslat
fortsätta	4	continue, carry on	fortsätt!	fortsätter	fortsatte	fortsatt
fotografera	1	photograph	fotografera!	fotograferar	fotograferade	fotograferat
frakta	1	freight, carry, ship	frakta!	fraktar	fraktade	fraktat
framföra	2a	pass on, relate, forward a message, perform	framför!	framför	framförde	framfört

Infinitiv	Gr.	Definition & Notes	Imperativ	Presens	Preteritum	Supinum
framhäva	2a	emphasize, bring out	framhäv!	framhäver	framhävde	framhävt
framkalla	1	develop film, call forth	framkalla!	framkallar	framkallade	framkallat
framställa	2a	describe, depict, portray, make, manufacture, refine	framställ!	framställer	framställde	framställt
frankera	1	put a stamp on an envelope	frankera!	frankerar	frankerade	frankerat
fresta	1	tempt	fresta!	frestar	frestade	frestat
fria	1	propose (marriage), acquit	fria!	friar	friade	friat
fridlysa	2b	preserve, conserve, put under ecological protection	fridlys!	fridlyser	fridlyste	fridlyst
frikänna	2a	acquit, find not guilty	frikänn!	frikänner	frikände	frikänt
frilansa	1	free-lance	frilansa!	frilansar	frilansade	frilansat
frodas	1	thrive, flourish	-	frodas	frodades	frodats
frukta	1	fear, dread	frukta!	fruktar	fruktade	fruktat
frysa	4	be cold, freeze, get frozen	frys!	fryser	frös	frusit
frysa [in]	2b	make something freeze, refrigerate	frys!	fryser	fryste	fryst
frysa ut	2b	freeze somebody out (socially)	frys ut!	fryser ut	fryste ut	fryst ut
fråga	1	question, ask, inquire	fråga!	frågar	frågade	frågat
främja	1	promote, support	främja!	främjar	främjade	främjat
fräsa	2b	rout (with a router), hiss	fräs!	fräser	fräste	fräst
fräta	2b	corrode, eat into	frät!	fräter	frätte	frätt
fukta	1	moisten	fukta!	fuktar	fuktade	fuktat
fundera	1	contemplate	fundera!	funderar	funderade	funderat
fungera	1	work/function properly	fungera!	fungerar	fungerade	fungerat
funka	1	**informal** work/function properly	funka!	funkar	funkade	funkat
fuska	1	cheat	fuska!	fuskar	fuskade	fuskat
fylla	2a	fill, stuff, fulfil	fyll!	fyller	fyllde	fyllt
fylla år	2a	have a birthday	-	fyller år	fyllde år	fyllt år
fynda	1	**informal** find a bargain	fynda!	fyndar	fyndade	fyndat
få	4	get, be given, have permission to	få!	får	fick	fått
fålla	1	hem	fålla!	fållar	fållade	fållat
fåna sig	1	act silly, be ridiculous	fåna dig!	fånar sig	fånade sig	fånat sig
fånga	1	catch, seize, capture, trap	fånga!	fångar	fångade	fångat
fälla	2a	fell, cut down, drop, shed, cast, convict, slay, trip up	fäll!	fäller	fällde	fällt
fälla igen	2a	shut, close	fäll igen!	fäller igen	fällde igen	fällt igen
fälla ihop	2a	fold up, close	fäll ihop!	fäller ihop	fällde ihop	fällt ihop
fälla ned	2a	shut, lower, turn down	fäll ned!	fäller ned	fällde ned	fällt ned
fälla ut	2a	fold out, precipitate	fäll ut!	fäller ut	fällde ut	fällt ut
fängsla	1	imprison, confine, captivate, fascinate	fängsla!	fängslar	fängslade	fängslat
färdas	2a	travel	färdas!	färdas	färdades	färdats

Infinitiv	Gr.	Definition & Notes	Imperativ	Presens	Preteritum	Supinum
färga	1	color, dye, stain, tint	färga!	färgar	färgade	färgat
fästa	2b	fasten, attach	fäst!	fäster	fäste	fäst
föda	2a	give birth, bear (offspring)	föd!	föder	födde	fött
följa	2a	follow, accompany	följ!	följer	följde	följt
föra	2a	lead, take	för!	för	förde	fört
förakta	1	despise, scorn	förakta!	föraktar	föraktade	föraktat!
förarga	1	annoy, aggravate	förarga!	förargar	förargade	förargat
förbanna	1	damn, curse (somebody)	förbanna!	förbannar	förbannade	förbannat
förbarma sig [över]	1	pity	förbarma dig!	förbarmar sig	förbarmade sig	förbarmat sig
förbereda	2a	prepare	förbered!	förbereder	förberedde	förberett
förbinda	4	bandage or dress a wound, bind	förbind!	förbinder	förband	förbundit
förbinda sig	4	undertake, pledge oneself, bind oneself legally	förbind dig!	förbinder sig	förband sig	förbundit sig
förbise	4	overlook	förbise!	förbiser	förbisåg	förbisett
förbjuda	4	forbid	förbjud!	förbjuder	förbjöd	förbjudit
förbli[va]	4	remain, stay	förbli!	förblir	förblev	förblivit
förbruka	1	consume, exhaust, spend	förbruka!	förbrukar	förbrukade	förbrukat
förbrylla	1	puzzle, confuse, bewilder	förbrylla!	förbryllar	förbryllade	förbryllat
fördela	1	distribute among, divide up	fördela!	fördelar	fördelade	fördelat
fördärva	1	ruin, spoil, wreck	fördärva!	fördärvar	fördärvade	fördärvat
fördöma	2a	condemn	fördöm!	fördömer	fördömde	fördömt
förebygga	2a	prevent, forestall, preclude	förebygg!	förebygger	förebyggde	förebyggt
föredra	4	prefer	föredra!	föredrar	föredrog	föredragit
förefalla	4	seem, appear	-	förefaller	föreföll	förefallit
förekomma	4	exist, appear	förekom!	förekommer	förekom	förekommit
förena	1	unite, connect, combine	förena!	förenar	förenade	förenat
föreslå	4	suggest, propose something	föreslå!	föreslår	föreslog	föreslagit
föreställa	2a	represent, suppose to be, depict	föreställ!	föreställer	föreställde	föreställt
föreställa sig	2a	conceive, imagine, visualize	föreställ dig!	föreställer sig	föreställde sig	föreställt sig
föreviga	1	immortalize	föreviga!	förevigar	förevigade	förevigat
förevisa	1	demonstrate, showcase	förevisa!	förevisar	förevisade	förevisat
förfalla	4	fall into disrepair, fall due (as in a bill)	-	förfaller	förföll	förfallit
förfalska	1	falsify, counterfeit	förfalska!	förfalskar	förfalskade	förfalskat
författa	1	write, compose	författa!	författar	författade	författat
förfoga [över]	1	have at one's disposal	förfoga!	förfogar	förfogade	förfogat
förfölja	2a	pursue, persecute, haunt	förfölj!	förföljer	förföljde	förföljt
förgripa sig på	4	violate, assault	förgrip dig på!	förgriper sig på	förgrep sig på	förgripit sig på
förgylla	2a	gild, brighten	förgyll!	förgyller	förgyllde	förgyllt
förhandla	1	negotiate	förhandla!	förhandlar	förhandlade	förhandlat

Infinitiv	Gr.	Definition & Notes	Imperativ	Presens	Preteritum	Supinum
förhasta	1	be too hasty	förhasta!	förhastar	förhastade	förhastat
förhindra	1	prevent	förhindra!	förhindrar	förhindrade	förhindrat
förhöra	2a	interrogate, cross-examine, test somebody on their homework	förhör!	förhör	förhörde	förhört
förinta	1	annihilate, destroy	förinta!	förintar	förintade	förintat
förklara	1	explain, declare	förklara!	förklarar	förklarade	förklarat
förkorta	1	shorten, reduce, abbreviate	förkorta!	förkortar	förkortade	förkortat
förkovra sig	1	improve oneself, dig deep into a subject	förkovra dig!	förkovrar sig	förkovrade sig	förkovrat sig
förlisa	2b	to become shipwrecked	-	förliser	förliste	förlist
förlora	1	lose, be defeated, be deprived of	förlora!	förlorar	förlorade	förlorat
förlossa	1	deliver a baby, redeem	förlossa!	förlossar	förlossade	förlossat
förlova sig	1	become engaged to be married	förlova dig!	förlovar sig	förlovade sig	förlovat sig
förlåta	4	forgive, excuse	förlåt!	förlåter	förlät	förlåtit
förlänga	2a	extend, lengthen	förläng!	förlänger	förlängde	förlängt
förmana	1	exhort, admonish, warn	förmana!	förmanar	förmanade	förmanat
förminska	1	reduce, make smaller	förminska!	förminskar	förminskade	förminskat
förmå	3	induce, prevail upon	förmå!	förmår	förmådde	förmått
förnedra	1	degrade, humiliate	förnedra!	förnedrar	förnedrade	förnedrat
förneka	1	deny, disown	förneka!	förnekar	förnekade	förnekat
förnya	1	renew, regenerate	förnya!	förnyar	förnyade	förnyat
förolämpa	1	insult, offend	förolämpa!	förolämpar	förolämpade	förolämpat
förorena	1	pollute, contaminate	förorena!	förorenar	förorenade	förorenat
förorsaka	1	cause	förorsaka!	förorsakar	förorsakade	förorsakat
förpacka	1	pack	förpacka!	förpackar	förpackade	förpackat
förpesta	1	poison, make a terrible smell	förpesta!	förpestar	förpestade	förpestat
förråda	2a	betray, give away	förråd!	förråder	förrådde	förrått
försena	1	delay, detain	försena!	försenar	försenade	försenat
försinka	1	delay, detain	försinka!	försinkar	försinkade	försinkat
försjunka	4	get lost in thought	försjunk!	försjunker	försjönk	försjunkit
försluta	4	seal, shut tight, close	förslut!	försluter	förslöt	förslutit
försnilla	1	embezzle, misappropriate	försnilla!	försnillar	försnillade	försnillat
försonas	1	reconcile, make up	försonas!	försonas	försonades	försonats
förstoppa	1	constipate	-	förstoppar	förstoppade	förstoppat
förstora	1	enlarge, magnify, exaggerate	förstora	förstorar	förstorade	förstorat
förstå	4	understand, realize	förstå!	förstår	förstod	förstått
förstöra	2a	destroy, spoil, wreck, ruin	förstör!	förstör	förstörde	förstört
försumma	1	neglect	försumma!	försummar	försummade	försummat
försvara	1	defend, justify	försvara!	försvarar	försvarade	försvarat
försvinna	4	disappear, vanish, fade	försvinn!	försvinner	försvann	försvunnit

Infinitiv	Gr.	Definition & Notes	Imperativ	Presens	Preteritum	Supinum
försäga sig	4	give oneself away, say too much	försäg dig!	försäger sig	försa[de] sig	försagt sig
försäkra	1	assure, insure	försäkra!	försäkrar	försäkrade	försäkrat
försäkra sig om	1	make sure, ascertain	försäkra dig om!	försäkrar sig om	försäkrade sig om	försäkrat sig om
försämra	1	worsen	försämra!	försämrar	försämrade	försämrat
försöka	2b	try, attempt, endeavor	försök!	försöker	försökte	försökt
försörja sig	2a	make a living, make ends meet	försörj dig!	försörjer sig	försörjde sig	försörjt sig
förta[ga] sig	4	overwork oneself	förta!	förtar	förtog	förtagit
förtjäna	1	deserve	förtjäna!	förtjänar	förtjänade	förtjänat
förtrolla	1	enchant, cast a spell upon	förtrolla!	förtrollar	förtrollade	förtrollat
förtrycka	2b	oppress	förtryck!	förtrycker	förtryckte	förtryckt
förtränga	2a	repress (a memory)	förträng!	förtränger	förträngde	förträngt
förtära	2a	consume, eat, drink	förtär!	förtär	förtärde	förtärt
förutse	4	forsee, anticipate, expect	förutse!	förutser	förutsåg	förutsett
förutsätta	2b	assume, take for granted	förutsätt!	förutsätter	förutsatte	förutsatt
förvalta	1	manage, administer	förvalta!	förvaltar	förvaltade	förvaltat
förvandla	1	transform, convert	förvandla!	förvandlar	förvandlade	förvandlat
förvanska	1	distort	förvanska!	förvanskar	förvanskade	förvanskat
förvara	1	keep, store, stow	förvara!	förvarar	förvarade	förvarat
förvilla	1	mislead, lead astray	förvilla!	förvillar	förvillade	förvillat
förvirra	1	confuse, bewilder	förvirra!	förvirrar	förvirrade	förvirrat
förvisa	1	banish, exile	förvisa!	förvisar	förvisade	förvisat
förvåna	1	surprise, astonish	förvåna!	förvånar	förvånade	förvånat
förvänta sig	1	expect, anticipate	förvänta dig!	förväntar sig	förväntade sig	förväntat sig
förvärra	1	make something worse	förvärra!	förvärrar	förvärrade	förvärrat
förväxla	1	confuse, mistake for, mix up	förväxla!	förväxlar	förväxlade	förväxlat
förälska sig	1	fall in love	förälska dig!	förälskar sig	förälskade sig	förälskat sig
förändra	1	change, alter	förändra!	förändrar	förändrade	förändrat
förödmjuka	1	humiliate	förödmjuka!	förödmjukar	förödmjukade	förödmjukat
föröka	1	breed, multiply, propagate	föröka!	förökar	förökade	förökat
fösa	2b	push, shove	fös!	föser	föste	föst

G

Infinitiv	Gr.	Definition & Notes	Imperativ	Presens	Preteritum	Supinum
gala	4	crow, yell, cuckoo	gal!	gal	gol	galit, galt
gallskrika	4	yell, howl	gallskrik!	gallskriker	gallskrek	gallskrikit
gapa	1	open your mouth widely	gapa!	gapar	gapade	gapat
garantera	1	guarantee	garantera!	garanterar	garanterade	garanterat
garva	1	**informal** laugh	garva!	garvar	garvade	garvat

Infinitiv	Gr.	Definition & Notes	Imperativ	Presens	Preteritum	Supinum
gasa	1	step on the gas pedal; accelerate	gasa!	gasar	gasade	gasat
ge (giva)	4	give, grant, award	ge! (giv!)	ger	gav	gett (givit)
ge efter [för]	4	yield, give in [to]	ge efter!	ger efter	gav efter	gett efter
ge igen	4	get back at, retaliate	ge igen!	ger igen	gav igen	gett igen
ge sig av/iväg	4	take off (for someplace), leave, hit the road	ge dig iväg!	ger sig iväg	gav sig iväg	gett sig iväg
ge upp	4	surrender, give up, abandon	ge upp!	ger upp	gav upp	gett upp
ge ut	4	publish	ge ut!	ger ut	gav ut	gett ut
ge vika [för]	4	yield, surrender, give, subside	ge vika!	ger vika	gav vika	gett vika
gena	1	**informal** take a shortcut	gena!	genar	genade	genat
genera	1	embarass	genera!	generar	generade	generat
generalisera	1	generalize	generalisera!	generaliserar	generaliserade	generaliserat
generera	1	generate	generera!	genererar	genererade	genererat
genomföra	2a	carry out	genomför!	genomför	genomförde	genomfört
genomgå	4	go through	genomgå!	genomgår	genomgick	genomgått
genomskåda	1	see through (a person, a lie, etc.)	genomskåda!	genomskådar	genomskådade	genomskådat
gifta sig [med]	2b	get married, marry	gift dig!	gifter sig	gifte sig	gift sig
gilla	1	like, approve of	gilla!	gillar	gillade	gillat
gillra [en fälla]	1	set (a trap)	gillra!	gillrar	gillrade	gillrat
gissa	1	guess	gissa!	gissar	gissade	gissat
gjuta	4	cast, mould	gjut!	gjuter	göt	gjutit
glesna	1	grow thinner	-	glesnar	glesnade	glesnat
glida	4	glide, slide, run	glid!	glider	gled	glidit
glimma	1	gleam, glisten	glimma!	glimmar	glimmade	glimmat
glittra	1	glitter, sparkle	glittra!	glittrar	glittrade	glittrat
glo	3	stare, glare	glo!	glor	glodde	glott
glufsa [i sig]	1	gobble down, gulp	glufsa!	glufsar	glufsade	glufsat
glädja	2a	delight, make happy	gläd!	gläder	gladde	glatt
glädja sig	2a	rejoice, be delighted	gläd dig!	gläder sig	gladde sig	glatt sig
glänsa	2b	shine, be brilliant	gläns!	glänser	glänste	glänst
glöda	2a	glow, smolder	glöd!	glöder	glödde	glött
glömma	2a	forget	glöm!	glömmer	glömde	glömt
gnaga	2a	gnaw	gnag!	gnager	gnagde	gnagt
gnata	1	nag	gnata!	gnatar	gnatade	gnatat
gneta	1	toil, struggle, be fussy or difficult	gneta!	gnetar	gnetade	gnetat
gnida	4	rub	gnid!	gnider	gned	gnidit
gnugga	1	rub (quickly)	gnugga!	gnuggar	gnuggade	gnuggat
gny	3	whimper	gny!	gnyr	gnydde	gnytt
gnägga	1	neigh (like a horse)	gnägga!	gnäggar	gnäggade	gnäggat

Infinitiv	Gr.	Definition & Notes	Imperativ	Presens	Preteritum	Supinum
gnälla	2a	whine, complain	gnäll!	gnäller	gnällde	gnällt
godkänna	2a	pass, approve, accept	godkänn!	godkänner	godkände	godkänt
godta[ga]	4	accept	godta[g]!	godtar (godtager)	godtog	godtagit
gottgöra [någon]	4	compensate, make up for	gottgör!	gottgör	gottgjorde	gottgjort
granska	1	examine, scrutinize, check	granska!	granskar	granskade	granskat
gratinera	1	bake *au gratin*	gratinera!	gratinerar	gratinerade	gratinerat
gratta	1	**informal** congratulate	gratta!	grattar	grattade	grattat
gratulera	1	congratulate	gratulera!	gratulerar	gratulerade	gratulerat
gravera	1	etch, engrave	gravera!	graverar	graverade	graverat
greja	1	tinker, fix, manage	greja!	grejar	grejade	grejat
grilla	1	grill, barbeque	grilla!	grillar	grillade	grillat
grina	1	**informal** cry, whine	grina!	grinar	grinade	grinat
gripa	4	grip, seize, grasp, arrest	grip!	griper	grep	gripit
grisa ner	1	mess up, make dirty	grisa ner!	grisar ner	grisade ner	grisat ner
gro	3	sprout	gro!	gror	grodde	grott
grubbla	1	ponder, brood	grubbla!	grubblar	grubblade	grubblat
grunda	1	found, establish, base, prime	grunda!	grundar	grundade	grundat
gry	3	dawn, break (of the day)	-	gryr	grydde	grytt
grymta	1	oink (like a pig)	grymta!	grymtar	grymtade	grymtat
gråta	4	cry, weep	gråt!	gråter	grät	gråtit
gräla	1	quarrel, fight	gräla!	grälar	grälade	grälat
gräma sig	2a	be irritated, fret, bear a grudge	gräm dig!	grämer sig	grämde sig	grämt sig
gränsa [till]	1	border on	-	gränsar	gränsade	gränsat
gräva	2a	dig, burrow, excavate	gräv!	gräver	grävde	grävt
gröpa [ur]	2b	hollow/scoop out	gröp!	gröper	gröpte	gröpt
guida	1	guide	guida!	guidar	guidade	guidat
gunga	1	swing, seesaw, rock	gunga!	gungar	gungade	gungat
gynna	1	favor, sponsor, support	gynna!	gynnar	gynnade	gynnat
gå	4	walk, go	gå!	går	gick	gått
gå av	4	break, split in two	gå av!	går av	gick av	gått av
gå bort	4	die, pass away, disappear, go to a party	gå bort!	går bort	gick bort	gått bort
gå ihop	4	make sense, fit together	gå ihop!	går ihop	gick ihop	gått ihop
gå in för	4	engage oneself in something	gå in för!	går in för	gick in för	gått in för
gå med på	4	agree/consent to, accept	gå med på!	går med på	gick med på	gått med på
gå på	4	cost, carry on, blabber on	gå på!	går på	gick på	gått på
gå till	4	happen, be arranged/ managed, work, function	gå till!	går till	gick till	gått till
gå under	4	be destroyed, be undone, be devastated	gå under!	går under	gick under	gått under
gå ut på	4	be about, be the point of	gå ut på!	går ut på	gick ut på	gått ut på

Infinitiv	Gr.	Definition & Notes	Imperativ	Presens	Preteritum	Supinum
gå åt	4	be consumed, run out, be needed	gå åt!	går åt	gick åt	gått åt
gå över	4	pass, cease, go over, proceed to, cross	gå över!	går över	gick över	gått över
gäcka	1	baffle, elude, frustrate	gäcka!	gäckar	gäckade	gäckat
gälla	2a	concern, come into effect, apply	-	gäller	gällde	gällt
gäspa	1	yawn	gäspa!	gäspar	gäspade	gäspat
gästa	1	visit, be a guest	gästa!	gästar	gästade	gästat
gödsla	1	fertilize, spread out manure	gödsla!	gödslar	gödslade	gödslat
gömma	2a	hide, conceal	göm!	gömmer	gömde	gömt
göra	4	do, make, cause	gör!	gör	gjorde	gjort
göra av med	4	spend, waste, lose	gör av med!	gör av med	gjorde av med	gjort av med
göra bort sig	4	make a fool of oneself	gör bort dig!	gör bort sig	gjorde bort sig	gjort bort sig
göra sig till	4	fake something, act in a ingratiating manner, make an effort	gör dig till!	gör sig till	gjorde sig till	gjort sig till
göra upp	4	settle, get even [with], prearrange, fix beforehand	gör upp!	gör upp	gjorde upp	gjort upp

H

Infinitiv	Gr.	Definition & Notes	Imperativ	Presens	Preteritum	Supinum
ha	4	have, possess	ha!	har	hade	haft
ha bråttom	4	be in a hurry	ha bråttom!	har bråttom	hade bråttom	haft bråttom
ha för sig	4	do, be up to	ha för dig!	har för sig	hade för sig	haft för sig
ha med sig	4	bring along	ha med dig!	har med sig	hade med sig	haft med sig
ha på sig	4	wear clothes	ha på dig!	har på sig	hade på sig	haft på sig
hacka	1	chop, hack at, peck at	hacka!	hackar	hackade	hackat
hacka på [någon]	1	pick on someone	hacka på!	hackar på	hackade på	hackat på
haffa [någon]	1	**informal** nab, cop, nick	haffa!	haffar	haffade	haffat
hagla	1	hail (frozen rain)	-	haglar	haglade	haglat
haka	1	hook, hitch, fasten	haka!	hakar	hakade	hakat
haka på [någon]	1	**informal** tag along with somebody	haka på!	hakar på	hakade på	hakat på
haka upp sig	1	get stuck/caught (usually about mechanisms)	haka upp dig!	hakar upp sig	hakade upp sig	hakat upp sig
halka	1	slip, skid	halka!	halkar	halkade	halkat
halta	1	limp	halta!	haltar	haltade	haltat
halvera	1	halve	halvera!	halverar	halverade	halverat
hamna	1	end up	hamna!	hamnar	hamnade	hamnat
hamra	1	hammer	hamra!	hamrar	hamrade	hamrat
handla	1	shop, trade, act, take action	handla!	handlar	handlade	handlat
handla om	1	be about/regarding	handla om!	handlar om	handlade om	handlat om
handskas [med]	2a	deal with, handle	handskas!	handskas	handskades	hanskats
hanka sig fram	1	get by, barely manage	hanka dig fram!	hankar sig fram	hankade sig fram	hankat sig fram

hantera - hålla efter

Infinitiv	Gr.	Definition & Notes	Imperativ	Presens	Preteritum	Supinum
hantera	1	handle, manage, use	hantera!	hanterar	hanterade	hanterat
harkla sig	1	clear one's throat	harkla dig!	harklar sig	harklade sig	harklat sig
haspa	1	close a hasp	haspa!	haspar	haspade	haspat
hata	1	hate, loathe	hata!	hatar	hatade	hatat
haverera	1	wreck, crash	haverera!	havererar	havererade	havererat
hedra	1	honor, commemorate	hedra!	hedrar	hedrade	hedrat
heja	1	cheer on, greet informally	heja!	hejar	hejade	hejat
hejda	1	stop, halt, curb	hejda!	hejdar	hejdade	hejdat
hela	1	heal	hela!	helar	helade	helat
helga	1	keep holy, observe, consecrate	helga!	helgar	helgade	helgat
heta	2b	be named, be called	-	heter	hette	hetat
hetsa	1	instigate, excite	hetsa!	hetsar	hetsade	hetsat
hicka	1	hiccup	hicka!	hickar	hickade	hickat
hindra	1	prevent, restrain, hinder, stop	hindra!	hindrar	hindrade	hindrat
hinna	4	have time, make it [on time]	hinn!	hinner	hann	hunnit
hissa	1	hoist, lift, raise	hissa!	hissar	hissade	hissat
hitta	1	find, come across	hitta!	hittar	hittade	hittat
hjula	1	cartwheel	hjula!	hjular	hjulade	hjulat
hjälpa	2b	help, aid, remedy, relieve	hjälp!	hjälper	hjälpte	hjälpt
hoppa	1	hop, jump, skip, dive	hoppa!	hoppar	hoppade	hoppat
hoppas	1	hope [for]	hoppas!	hoppas	hoppades	hoppats
hosta	1	cough	hosta!	hostar	hostade	hostat
hota	1	threaten	hota!	hotar	hotade	hotat
hugga	4	chop, hew, cut, slash, stab	hugg!	hugger	högg	huggit
hungra	1	hunger, starve	hungra!	hungrar	hungrade	hungrat
hurra	1	cheer, hurrah	hurra!	hurrar	hurrade	hurrat
hushålla	4	economize, save	hushåll!	hushåller	hushöll	hushållit
huttra	1	shiver	huttra!	huttrar	huttrade	huttrat
hyckla	1	be hypocritical, feign	hyckla!	hycklar	hycklade	hycklat
hylla	1	praise, honor, acclaim	hylla!	hyllar	hyllade	hyllat
hyra	2a	rent, hire, let	hyr!	hyr	hyrde	hyrt
hysa	2b	house, accomodate, harbor	hys!	hyser	hyste	hyst
hysa agg [mot någon]	2b	bear a grudge [towards someone]	hys agg!	hyser agg	hyste agg	hyst agg
hyvla	1	plane, level, shave	hyvla!	hyvlar	hyvlade	hyvlat
hålla	4	hold, keep, contain, last	håll!	håller	höll	hållit
hålla [någon] sällskap	4	keep a person company	håll sällskap!	håller sällskap	höll sällskap	hållit sällskap
hålla av	4	love, care about, be fond of	håll av!	håller av	höll av	hållit av
hålla efter	4	keep in check, control	håll efter!	håller efter	höll efter	hållit efter

Infinitiv	Gr.	Definition & Notes	Imperativ	Presens	Preteritum	Supinum
hålla ihop	4	stick together, remain loyal to one another	håll ihop!	håller ihop	höll ihop	hållit ihop
hålla med	4	agree/side with	håll med!	håller med	höll med	hållit med
hålla om	4	embrace, hug, hold	håll om!	håller om	höll om	hållit om
hålla på med	4	be engaged in, be occupied with	håll på med!	håller på med	höll på med	hållit på med
hålla ut	4	hold out, preserve	håll ut!	håller ut	höll ut	hållit ut
håna	1	scorn, taunt, mock	håna!	hånar	hånade	hånat
hångla	1	**vulgar** neck, make out	hångla!	hånglar	hånglade	hånglat
hårdna	1	harden, get tougher	hårdna!	hårdnar	hårdnade	hårdnat
håva in	1	rake in	håva in!	håvar in	håvade in	håvat in
häcka	1	nest	häcka!	häckar	häckade	häckat
häda	1	blaspheme	häda!	hädar	hädade	hädat
häfta	1	fasten, staple together	häfta!	häftar	häftade	häftat
häkta	1	charge (with a crime)	häkta!	häktar	häktade	häktat
hälla	2a	pour	häll!	häller	hällde	hällt
hälsa [på]	1	greet, say hello to	hälsa!	hälsar	hälsade	hälsat
hälsa på	1	visit, call on	hälsa på!	hälsar på	hälsade på	hälsat på
hälsa till	1	give one's regards to somebody	hälsa till!	hälsar till	hälsade till	hälsat till
hämma	1	inhibit	hämma!	hämmar	hämmade	hämmat
hämnas	2a	avenge, get back at	hämnas!	hämnas	hämnades	hämnats
hämta	1	fetch, pick up, collect	hämta!	hämtar	hämtade	hämtat
hända	2a	happen, occur	-	händer	hände	hänt
hänga	2a	hang, suspend, dangle, be downhearted	häng!	hänger	hängde	hängt
hänga med	2a	come along, comprehend, get it, hang in there	häng med!	hänger med	hängde med	hängt med
häpna	1	be astonished	häpna!	häpnar	häpnade	häpnat
härda	1	harden, cure	härda!	härdar	härdade	härdat
härda ut	1	cope, endure	härda ut!	härdar ut	härdade ut	härdat ut
härja	1	ravage, wreak havoc, live it up	härja!	härjar	härjade	härjat
härma	1	imitate, mimic, copy	härma!	härmar	härmade	härmat
härska	1	reign, rule	härska!	härskar	härskade	härskat
härstamma	1	descend/originate from	-	härstammar	härstammade	härstammat
häva	2a	heave, annul, revoke	häv!	häver	hävde	hävt
hävda	1	claim, assert, maintain	hävda!	hävdar	hävdade	hävdat
höja	2a	raise, increase, improve	höj!	höjer	höjde	höjt
höra	2a	hear, be told, learn	hör!	hör	hörde	hört
höra av sig	2a	keep in touch, stay in contact	hör av dig!	hör av sig	hörde av sig	hört av sig
höra efter	2a	inquire, find out	hör efter!	hör efter	hörde efter	hört efter
höra hemma	2a	belong, originate	-	hör hemma	hörde hemma	hört hemma
höra ihop	2a	match, belong together	hör ihop!	hör ihop	hörde ihop	hört ihop

höra sig för - innebära

Infinitiv	Gr.	Definition & Notes	Imperativ	Presens	Preteritum	Supinum
höra sig för	2a	inquire, ask around	hör dig för!	hör sig för	hörde sig för	hört sig för
höra till	2a	be essential, be customary	hör till!	hör till	hörde till	hört till

I

Infinitiv	Gr.	Definition & Notes	Imperativ	Presens	Preteritum	Supinum
iaktta[ga]	4	observe, notice	iaktta[g]!	iakttar (iakttager)	iakttog	iakttagit
idealisera	1	idealize	idealisera!	idealiserar	idealiserade	idealiserat
identifiera	1	identify	identifiera!	identifierar	identifierade	identifierat
idka	1	practice, pursue, carry on	idka!	idkar	idkade	idkat
idrotta	1	do sports, do track and field	idrotta!	idrottar	idrottade	idrottat
ignorera	1	ignore	ignorera!	ignorerar	ignorerade	ignorerat
ila	1	hurry, speed, dash	ila!	ilar	ilade	ilat
illustrera	1	illustrate	illustrera!	illustrerar	illustrerade	illustrerat
imitera	1	imitate, mimic, impersonate	imitera!	imiterar	imiterade	imiterat
immigrera	1	immigrate	immigrera!	immigrerar	immigrerade	immigrerat
implementera	1	implement	implementera!	implementerar	implementerade	implementerat
imponera	1	impress	imponera!	imponerar	imponerade	imponerat
importera	1	import	importera!	importerar	importerade	importerat
impregnera	1	waterproof	impregnera!	impregnerar	impregnerade	impregnerat
improvisera	1	improvise	improvisera!	improviserar	improviserade	improviserat
inbilla sig	1	convince oneself, make-believe	inbilla dig!	inbillar sig	inbillade sig	inbillat sig
infektera	1	infect	infektera!	infekterar	infekterade	infekterat
infinna sig	4	appear, turn up	infinn dig!	infinner sig	infann sig	infunnit sig
inflammera	1	inflame	inflammera!	inflammerar	inflammerade	inflammerat
influera	1	influence	influera!	influerar	influerade	influerat
infoga	1	insert	infoga!	infogar	infogade	infogat
informera	1	inform	informera!	informerar	informerade	informerat
införa	2a	introduce, import	inför!	inför	införde	infört
ingripa	4	intervene, step in	ingrip!	ingriper	ingrep	ingripit
ingå i	4	be included in, be a part of	ingå i!	ingår i	ingick i	ingått i
initiera	1	initiate	initiera!	initierar	initierade	initierat
injicera	1	inject	injicera!	injicerar	injicerade	injicerat
inkalla	1	draft, summon	inkalla!	inkallar	inkallade	inkallat
inkassera	1	cash in, be paid, collect	inkassera!	inkasserar	inkasserade	inkasserat
inkludera	1	include	inkludera!	inkluderar	inkluderade	inkluderat
inkräkta	1	intrude, trespass	inkräkta!	inkräktar	inkräktade	inkräktat
inkvartera	1	accomodate, lodge	inkvartera!	inkvarterar	inkvarterade	inkvarterat
inleda	2a	begin, open, launch	inled	inleder	inledde	inlett
innebära	4	mean, signify, entail	innebär!	innebär	innebar	inneburit

Infinitiv	Gr.	Definition & Notes	Imperativ	Presens	Preteritum	Supinum
inneha[va]	4	hold, posess	inneha!	innehar	innehade	innehaft
innehålla	4	contain	innehåll!	innehåller	innehöll	innehållit
inreda	2a	decorate, furnish (a house)	inred!	inreder	inredde	inrett
inrikta	1	aim, direct, concentrate	inrikta!	inriktar	inriktade	inriktat
inse	4	realize	inse!	inser	insåg	insett
insistera	1	insist	insistera!	insisterar	insisterade	insisterat
insjukna	1	become sick	-	insjuknar	insjuknade	insjuknat
inskränka	2b	limit, restrict	inskränk!	inskränker	inskränkte	inskränkt
inspektera	1	inspect	inspektera!	inspekterar	inspekterade	inspekterat
inspirera	1	inspire	inspirera!	inspirerar	inspirerade	inspirerat
installera	1	install	installera!	installerar	installerade	installerat
instruera	1	instruct, brief	instruera!	instruerar	instruerade	instruerat
inställa	2a	cancel, suspend	Inställ!	inställer	inställde	inställt
instämma	2a	agree, concur	instäm!	instämmer	instämde	instämt
intala	1	convince, persuade	intala!	intalar	intalade	intalat
intensifiera	1	intensify	intensifiera!	intensifierar	intensifierade	intensifierat
intervjua	1	interview	intervjua!	intervjuar	intervjuade	intervjuat
intressera	1	interest	intressera!	intresserar	intresserade	intresserat
introducera	1	introduce, present	introducera!	introducerar	introducerade	introducerat
inträffa	1	occur, happen	inträffa!	inträffar	inträffade	inträffat
invadera	1	invade	invadera!	invaderar	invaderade	invaderat
invandra	1	immigrate	invandra!	invandrar	invandrade	invandrat
inventera	1	take inventory	inventera!	inventerar	inventerade	inventerat
investera	1	invest	investera!	investerar	investerade	investerat
inviga	2a	inaugurate, open, initiate	invig!	inviger	invigde	invigt
invända	2a	object	invänd!	invänder	invände	invänt
involvera	1	involve	involvera!	involverar	involverade	involverat
irritera	1	irritate, annoy	irritera!	irriterar	irriterade	irriterat
isolera	1	isolate, insulate	isolera!	isolerar	isolerade	isolerat

J

Infinitiv	Gr.	Definition & Notes	Imperativ	Presens	Preteritum	Supinum
jaga	1	hunt, chase, pursue	jaga!	jagar	jagade	jagat
jama	1	meow (like a cat)	jama!	jamar	jamade	jamat
jobba	1	**informal** work, be at work	jobba!	jobbar	jobbade	jobbat
jogga	1	jog	jogga!	joggar	joggade	joggat
jollra	1	babble, speak baby-talk	jollra!	jollrar	jollrade	jollrat
jonglera	1	juggle	jonglera!	jonglerar	jonglerade	jonglerat
jubla	1	rejoice, shout with joy	jubla!	jublar	jublade	jublat

Infinitiv	Gr.	Definition & Notes	Imperativ	Presens	Preteritum	Supinum
justera	1	adjust, correct	justera!	justerar	justerade	justerat
jäklas [med] (djäklas)	1	**vulgar** screw with someone, make life hell for (slightly less vulgar than **jävlas**)	jäklas!	jäklas	jäklades	jäklats
jäkta	1	hurry, stress	jäkta!	jäktar	jäktade	jäktat
jämföra	2a	compare	jämför!	jämför	jämförde	jämfört
jämka	1	adjust, modify, mediate	jämka!	jämkar	jämkade	jämkat
jämna	1	level, even out, smooth	jämna!	jämnar	jämnade	jämnat
jämra sig	1	whine, complain	jämra dig!	jämrar sig	jämrade sig	jämrat sig
jäsa	2b	ferment (wine), rise (dough)	jäs!	jäser	jäste	jäst
jävlas [med] (djävlas)	1	**vulgar** fuck with, make life hell for	jävlas!	jävlas	jävlades	jävlats

K

Infinitiv	Gr.	Definition & Notes	Imperativ	Presens	Preteritum	Supinum
kakla	1	tile	kakla!	kaklar	kaklade	kaklat
kalasa	1	feast	kalasa!	kalasar	kalasade	kalasat
kalkera	1	trace, copy	kalkera!	kalkerar	kalkerade	kalkerat
kalkylera	1	calculate, estimate	kalkylera!	kalkylerar	kalkylerade	kalkylerat
kalla	1	call, call to, name, nickname	kalla!	kallar	kallade	kallat
kallna	1	cool off, get cold	kallna!	kallnar	kallnade	kallnat
kamma	1	comb	kamma!	kammar	kammade	kammat
kamma hem	1	rake in, score	kamma hem!	kammar hem	kammade hem	kammat hem
kamouflera	1	camouflage	kamouflera!	kamouflerar	kamouflerade	kamouflerat
kana	1	slide, skid	kana!	kanar	kanade	kanat
kandidera	1	run for office, be a candidate for	kandidera!	kandiderar	kandiderade	kandiderat
kanta	1	edge, trim, line, border	kanta!	kantar	kantade	kantat
kapa	1	hijack, capture, cut, chop off	kapa!	kapar	kapade	kapat
kapitulera	1	capitulate, give up	kapitulera!	kapitulerar	kapitulerade	kapitulerat
kapsejsa	1	capsize	kapsejsa!	kapsejsar	kapsejsade	kapsejsat
kapsla [in]	1	encapsulate	kapsla!	kapslar	kapslade	kapslat
karakterisera	1	characterize	karakterisera!	karakteriserar	karakteriserade	karakteriserat
karva	1	carve, whittle, chip	karva!	karvar	karvade	karvat
kasa	1	slide (slowly and with some effort)	kasa!	kasar	kasade	kasat
kassera	1	scrap, reject	kassera!	kasserar	kasserade	kasserat
kasta	1	throw, toss, throw away	kasta!	kastar	kastade	kastat
kasta om	1	reverse the order	kasta om!	kastar om	kastade om	kastat om
kasta upp	1	throw up, vomit	kasta upp!	kastar upp	kastade upp	kastat upp
kastrera	1	castrate, spay, neuter	kastrera!	kastrerar	kastrerade	kastrerat
kategorisera	1	categorize	kategorisera!	kategoriserar	kategoriserade	kategoriserat

Infinitiv	Gr.	Definition & Notes	Imperativ	Presens	Preteritum	Supinum
kavla	1	roll out (dough), roll up (sleeves)	kavla!	kavlar	kavlade	kavlat
kedja [fast]	1	chain (to)	kedja!	kedjar	kedjade	kedjat
kela	1	cuddle, snuggle	kela!	kelar	kelade	kelat
kemtvätta	1	dry-clean	kemtvätta!	kemtvättar	kemtvättade	kemtvättat
kicka	1	**informal** kick (a ball), fire	kicka!	kickar	kickade	kickat
kidnappa	1	kidnap	kidnappa!	kidnappar	kidnappade	kidnappat
kika	1	peep, peer, squint	kika!	kikar	kikade	kikat
kila	1	be off, be going, run away	kila!	kilar	kilade	kilat
kisa	1	peer, squint	kisa!	kisar	kisade	kisat
kissa	1	pee, urinate	kissa!	kissar	kissade	kissat
kitta	1	putty, cement	kitta!	kittar	kittade	kittat
kittla	1	tickle	kittla!	kittlar	kittlade	kittlat
kiva	1	squabble, quarrel	kiva!	kivar	kivade	kivat
kladda	1	make a mess, doodle, scribble	kladda!	kladdar	kladdade	kladdat
klaffa	1	tally, work out well	klaffa!	klaffar	klaffade	klaffat
klaga	1	complain	klaga!	klagar	klagade	klagat
klamra [sig fast vid]	1	cling to, hang on to	klamra!	klamrar	klamrade	klamrat
klandra	1	blame, criticize	klandra!	klandrar	klandrade	klandrat
klappa	1	pat, pet, tap, caress, applaud	klappa!	klappar	klappade	klappat
klara	1	pass (a test), succeed, bear, endure, accomplish	klara!	klarar	klarade	klarat
klargöra	4	clarify, demonstrate, explain	klargör!	klargör	klargjorde	klargjort
klarna	1	clear up, become clearer	klarna!	klarnar	klarnade	klarnat
klassa	1	judge, rate, classify	klassa!	klassar	klassade	klassat
klassificera	1	classify, rate, grade	klassificera!	klassificerar	klassificerade	klassificerat
klia	1	itch, scratch	klia!	kliar	kliade	kliat
klibba	1	be sticky, stick to, cling together	klibba!	klibbar	klibbade	klibbat
klicka	1	click, misfire, fail	klicka!	klickar	klickade	klickat
klippa	2b	cut (with scissors), cut hair, clip, trim, mow	klipp!	klipper	klippte	klippt
klippa sig	2b	get a haircut	klipp dig!	klipper sig	klippte sig	klippt sig
klippa till [någon]	2b	hit/slap someone	klipp till!	klipper till	klippte till	klippt till
klistra	1	paste, glue, stick	klistra!	klistrar	klistrade	klistrat
kliva	4	stride, climb, stalk	kliv!	kliver	klev	klivit
klona	1	clone	klona!	klonar	klonade	klonat
klottra	1	scrawl, scribble, vandalize with graffiti	klottra!	klottrar	klottrade	klottrat
klyva	4	cleave, split	klyv!	klyver	klöv	kluvit
klå	3	**informal** thrash, beat, defeat	klå!	klår	klådde	klått
klä	3	dress, clothe, line, decorate	klä!	klär	klädde	klätt
klä av [sig]	3	undress (oneself)	klä av!	klär av	klädde av	klätt av

klä om - kommendera

Infinitiv	Gr.	Definition & Notes	Imperativ	Presens	Preteritum	Supinum
klä om [sig]	3	change clothes	klä om!	klär om	klädde om	klätt om
klä på [sig]	3	dress, get dressed	klä på!	klär på	klädde på	klätt på
kläcka	2b	hatch, crack	kläck!	kläcker	kläckte	kläckt
klämma	2a	squeeze, pinch	kläm!	klämmer	klämde	klämt
klänga	2a	cling, climb	kläng!	klänger	klängde	klängt
klättra	1	climb, ascend, scale, mount	klättra!	klättrar	klättrade	klättrat
klösa	2b	claw, scratch	klös!	klöser	klöste	klöst
knacka	1	knock, tap	knacka!	knackar	knackade	knackat
knaka	1	creak	knaka!	knakar	knakade	knakat
knapra	1	nibble, munch	knapra!	knaprar	knaprade	knaprat
knarka	1	use drugs, be a drug addict	knarka!	knarkar	knarkade	knarkat
knarra	1	creak, squeak, crunch	knarra!	knarrar	knarrade	knarrat
knega	1	drudge, toil	knega!	knegar	knegade	knegat
knipa	4	pinch, pucker, compress	knip!	kniper	knep	knipit
knivhugga	4	stab (with a knife)	knivhugg!	knivhugger	knivhögg	knivhuggit
knuffa	1	push, shove	knuffa!	knuffar	knuffade	knuffat
knulla	1	**vulgar** have sex, fuck	knulla!	knullar	knullade	knullat
knycka	2b	steal, jerk, twitch, pinch	knyck!	knycker	knyckte	knyckt
knyta	4	tie, knot, clench	knyt!	knyter	knöt	knutit
knåda	1	knead	knåda!	knådar	knådade	knådat
knäböja	2a	kneel, genuflect	knäböj!	knäböjer	knäböjde	knäböjt
knäcka	2b	break, crack, ruin	knäck!	knäcker	knäckte	knäckt
knäppa	2b	button, snap, pluck	knäpp!	knäpper	knäppte	knäppt
koagulera	1	coagulate	-	koagulerar	koagulerade	koagulerat
koka	1	boil	koka!	kokar	kokade	kokat
kolla	1	**informal** look, observe, investigate, check	kolla!	kollar	kollade	kollat
kollaborera	1	collaborate	kollaborera!	kollaborerar	kollaborerade	kollaborerat
kollapsa	1	collapse	kollapsa!	kollapsar	kollapsade	kollapsat
kollidera	1	collide, crash	kollidera!	kolliderar	kolliderade	kolliderat
kolonisera	1	colonize	kolonisera!	koloniserar	koloniserade	koloniserat
kombinera	1	combine	kombinera!	kombinerar	kombinerade	kombinerat
komma	4	come, approach, arrive	kom!	kommer	kom	kommit
komma av sig	4	lose one's composure, lose one's place, lose track	kom av dig!	kommer av sig	kom av sig	kommit av sig
komma bort	4	disappear, get lost	kom bort!	kommer bort	kom bort	kommit bort
komma ihåg	4	remember, recall, recollect	kom ihåg!	kommer ihåg	kom ihåg	kommit ihåg
komma på	4	remember, think of, discover	kom på!	kommer på	kom på	kommit på
komma över	4	get over something	kom över!	kommer över	kom över	kommit över
komma överens	4	agree on something, get along	kom överens!	kommer överens	kom överens	kommit överens
kommendera	1	command, order	kommendera!	kommenderar	kommenderade	kommenderat

Infinitiv	Gr.	Definition & Notes	Imperativ	Presens	Preteritum	Supinum
kommentera	1	comment, annotate	kommentera!	kommenterar	kommenterade	kommenterat
kommersialisera	1	commercialize	kommersialisera!	kommersialiserar	kommersialiserade	kommersialiserat
kommunicera	1	communicate	kommunicera!	kommunicerar	kommunicerade	kommunicerat
kompa	1	**informal** accompany musically	kompa!	kompar	kompade	kompat
kompensera	1	compensate	kompensera!	kompenserar	kompenserade	kompenserat
komplettera	1	complete, make up for, supplement	komplettera!	kompletterar	kompletterade	kompletterat
komplicera	1	complicate	komplicera!	komplicerar	komplicerade	komplicerat
komponera	1	compose, put together	komponera!	komponerar	komponerade	komponerat
komprimera	1	compress	komprimera!	komprimerar	komprimerade	komprimerat
kompromissa	1	compromise	kompromissa!	kompromissar	kompromissade	kompromissat
koncentrera sig	1	focus oneself, concentrate on something	koncentrera dig!	koncentrerar sig	koncentrerade sig	koncentrerat sig
kondensera	1	condense	kondensera!	kondenserar	kondenserade	kondenserat
kondolera	1	condole, express one's sympathy	kondolera!	kondolerar	kondolerade	kondolerat
konferera	1	confer, discuss the matter	konferera!	konfererar	konfererade	konfererat
konfirmera sig	1	be confirmed	konfirmera dig!	konfirmerar sig	konfirmerade sig	konfirmerat sig
konfiskera	1	confiscate, seize	konfiskera!	konfiskerar	konfiskerade	konfiskerat
konfrontera	1	confront	konfrontera!	konfronterar	konfronterade	konfronterat
konjugera	1	conjugate	konjugera!	konjugerar	konjugerade	konjugerat
konkurrera	1	compete	konkurrera!	konkurrerar	konkurrerade	konkurrerat
konservera	1	restore, conserve, can food	konservera!	konserverar	konserverade	konserverat
konspirera	1	conspire, plot against	konspirera!	konspirerar	konspirerade	konspirerat
konstatera	1	notice, state, declare, establish, assertain	konstatera!	konstaterar	konstaterade	konstaterade
konstra	1	be difficult, complicate matters	konstra!	konstrar	konstrade	konstrat
konstruera	1	construct, construe	konstruera!	konstruerar	konstruerade	konstruerat
konsultera	1	consult	konsultera!	konsulterar	konsulterade	konsulterat
konsumera	1	consume	konsumera!	konsumerar	konsumerade	konsumerat
kontakta	1	contact, get in touch with	kontakta!	kontaktar	kontaktade	kontaktat
kontra	1	counter, retort, counterattack	kontra!	kontrar	kontrade	kontrat
kontrastera	1	contrast	kontrastera!	kontrasterar	kontrasterade	kontrasterat
kontrollera	1	check [up on], inspect, verify	kontrollera!	kontrollerar	kontrollerade	kontrollerat
konversera	1	converse, chat	konversera!	konverserar	konverserade	konverserat
konvertera	1	convert	konvertera!	konverterar	konverterade	konverterat
koordinera	1	coordinate	koordinera!	koordinerar	koordinerade	koordinerat
kopiera	1	copy, print	kopiera!	kopierar	kopierade	kopierat
koppla	1	join, connect, put a pet on a leash	koppla!	kopplar	kopplade	kopplat
koppla av	1	relax	koppla av!	kopplar av	kopplade av	kopplat av
koppla ur	1	disconnect, disengage	koppla ur!	kopplar ur	kopplade ur	kopplat ur
kora	1	elect, select	kora!	korar	korade	korat

Infinitiv	Gr.	Definition & Notes	Imperativ	Presens	Preteritum	Supinum
korrekturläsa	2b	proofread	korrekturläs!	korrekturläser	korrekturläste	korrekturläst
korrigera	1	correct, revise	korrigera!	korrigerar	korrigerade	korrigerat
korrumpera	1	corrupt	korrumpera!	korrumperar	korrumperade	korrumperat
korsa	1	cross, intersect, thwart	korsa!	korsar	korsade	korsat
korsfästa	2b	crucify	korsfäst!	korsfäster	korsfäste	korsfäst
korta	1	shorten	korta!	kortar	kortade	kortat
kosta	1	cost	kosta!	kostar	kostade	kostat
kosta på [sig]	1	treat oneself, splurge	kosta på!	kostar på	kostade på	kostat på
krafsa	1	scratch	krafsa!	krafsar	krafsade	krafsat
krama	1	hug, squeeze, press	krama!	kramar	kramade	kramat
krascha	1	crash, smash	krascha!	kraschar	kraschade	kraschat
kraschlanda	1	crash-land	kraschlanda!	kraschlandar	kraschlandade	kraschlandat
kratta	1	rake	kratta!	krattar	krattade	krattat
kravla	1	crawl	kravla!	kravlar	kravlade	kravlat
kremera	1	cremate	kremera!	kremerar	kremerade	kremerat
kretsa	1	circle, orbit	kretsa!	kretsar	kretsade	kretsat
kriga	1	be at war	kriga!	krigar	krigade	krigat
kringgå	4	go around, evade, circumvent, sidestep	kringgå!	kringgår	kringgick	kringgått
kritisera	1	criticize, find fault with	kritisera!	kritiserar	kritiserade	kritiserat
krocka	1	crash, collide, smash	krocka!	krockar	krockade	krockat
kroppsvisitera	1	frisk, search	kroppsvisitera!	kroppsvisiterar	kroppsvisiterade	kroppsvisiterat
krossa	1	crush, break, shatter	krossa!	krossar	krossade	krossat
krusa	1	curl, frizzle, ripple, ruffle	krusa!	krusar	krusade	krusat
krusa någon	1	ingratiate, suck up to	krusa någon!	krusar någon	krusade någon	krusat någon
krya på sig	1	get healthy, feel better	krya på dig!	kryar på sig	kryade på sig	kryat på sig
krydda	1	spice, season	krydda!	kryddar	kryddade	kryddat
krylla [av]	1	to be crawling/swarming with	krylla!	kryllar	kryllade	kryllat
krympa	2b	shrink, dwindle	krymp!	krymper	krympte	krympt
krypa	4	creep, crawl	kryp!	kryper	kröp	krupit
krysta	1	bear down, strain	krysta!	krystar	krystade	krystat
krångla	1	make a fuss, be difficult	krångla!	krånglar	krånglade	krånglat
kräkas	2b	vomit, throw up	kräks!	kräks	kräktes	kräkts
kräla	1	crawl	kräla!	krälar	krälade	krälat
kränka	2b	violate, offend, infringe	kränk!	kränker	kränkte	kränkt
kräva	2a	demand, insist	kräv!	kräver	krävde	krävt
kröka	1	informal drink alcohol, booze	kröka!	krökar	krökade	krökat
kröka	2b	bend, curve, arch	krök!	kröker	krökte	krökt
kröna	2b	crown, top, surmount	krön!	kröner	krönte	krönt
kugga	1	flunk, fail (a student)	kugga!	kuggar	kuggade	kuggat

Infinitiv	Gr.	Definition & Notes	Imperativ	Presens	Preteritum	Supinum
kulminera	1	culminate	kulminera!	kulminerar	kulminerade	kulminerat
kungöra	4	proclaim, announce	kungör!	kungör	kungjorde	kungjort
kunna	4	be able, know, know how to	-	kan	kunde	kunnat
kurera	1	cure	kurera!	kurerar	kurerade	kurerat
kursivera	1	italicize	kursivera!	kursiverar	kursiverade	kursiverat
kuta	1	**informal** run	kuta!	kutar	kutade	kutat
kuva	1	subdue, repress	kuva!	kuvar	kuvade	kuvat
kvadda	1	smash, ruin	kvadda!	kvaddar	kvaddade	kvaddat
kvala	1	**informal** qualify in sports	kvala!	kvalar	kvalade	kvalat
kvalificera	1	qualify	kvalificera!	kvalificerar	kvalificerade	kvalificerat
kvarstå	4	remain	kvarstå!	kvarstår	kvarstod	kvarstått
kvickna till	1	revive, come to	kvickna till!	kvicknar till	kvicknade till	kvicknat till
kvittera	1	sign for, collect	kvittera!	kvitterar	kvitterade	kvitterat
kväka	2b	croak (like a frog)	kväk!	kväker	kväkte	kväkt
kväsa	2b	humble, take the wind out of	kväs!	kväser	kväste	kväst
kväva	2a	choke, asphyxiate, suffocate, smother, quell	kväv!	kväver	kvävde	kvävt
kyla	2a	chill, cool	kyl!	kyler	kylde	kylt
kyssa	2b	kiss	kyss!	kysser	kysste	kysst
kåsera	1	do a light talk/article	kåsera!	kåserar	kåserade	kåserat
käbbla	1	**informal** bicker, nag, answer back	käbbla!	käbblar	käbblade	käbblat
käfta	1	talk back rudely	käfta!	käftar	käftade	käftat
käka	1	**informal** eat	käka!	käkar	käkade	käkat
kämpa	1	fight, struggle, contend	kämpa!	kämpar	kämpade	kämpat
känna	2a	feel, touch, know, be acqainted	känn!	känner	kände	känt
känna igen	2a	recognize	känn igen!	känner igen	kände igen	känt igen
känna igen sig	2a	recognize a place	känn igen dig!	känner igen sig	kände igen sig	känt igen sig
känna på sig	2a	sense, have a hunch	känn på dig!	känner på sig	kände på sig	känt på sig
känna sig	2a	feel an emotion, be in a physical state (Note: does not mean *to touch*)	känn dig!	känner sig	kände sig	känt sig
känna till	2a	know, be aware of, be familiar with	känn till!	känner till	kände till	känt till
köa	1	queue, line up	köa!	köar	köade	köat
köpa	2b	buy, purchase	köp!	köper	köpte	köpt
köpslå	4	bargain, haggle	köpslå!	köpslår	köpslog	köpslagit
köra	2a	drive (a car), maneuver, transport, take	kör!	kör	körde	kört
köra med [någon]	2a	**informal** pull somebody's leg	kör med!	kör med	körde med	kört med
köra på	2a	continue, keep going, go right on	kör på!	kör på	körde på	kört på
köra på/över [någon]	2a	hit a person (with a car), run somebody over	kör över!	kör över	körde över	kört över

L

Infinitiv	Gr.	Definition & Notes	Imperativ	Presens	Preteritum	Supinum
laborera	1	experiment with, do laboratory work	laborera!	laborerar	laborerade	laborerat
ladda	1	load (a weapon), charge (a battery)	ladda!	laddar	laddade	laddat
ladda ner	1	download	ladda ner!	laddar ner	laddade ner	laddat ner
laga	1	fix, mend, cook food	laga!	lagar	lagade	lagat
lagra	1	store, deposit, allow to ripen/mature	lagra!	lagrar	lagrade	lagrat
laminera	1	laminate	laminera!	laminerar	laminerade	laminerat
landa	1	land, touch down	landa!	landar	landade	landat
landstiga	4	go ashore, disembark	landstig!	landstiger	landsteg	landstigit
langa	1	pass on, relay, deal drugs, buy alcohol for a minor	langa!	langar	langade	langat
lansera	1	lauch, introduce (a product)	lansera!	lanserar	lanserade	lanserat
lappa	1	patch, mend	lappa!	lappar	lappade	lappat
lappa till [någon]	1	**informal** hit/slap someone	lappa till!	lappar till	lappade till	lappat till
larma	1	alert police/fire department, turn on the alarm	larma!	larmar	larmade	larmat
larva sig	1	**informal** be silly, talk nonsense	larva dig!	larvar sig	larvade sig	larvat sig
lasta	1	load cargo, blame	lasta!	lastar	lastade	lastat
lata sig	1	be lazy/idle	lata dig!	latar sig	latade sig	latat sig
lattja	1	**informal** play around, joke	lattja!	lattjar	lattjade	lattjat
le	4	smile	le!	ler	log	lett
leda	2a	lead, guide, conduct, manage, be ahead/winning	led!	leder	ledde	lett
ledsna [på]	1	grow tired of something, get fed up	ledsna!	ledsnar	ledsnade	ledsnat
legalisera	1	legalize	legalisera!	legaliserar	legaliserade	legaliserat
legitimera sig	1	show proof of identification	legitimera dig!	legitimerar sig	legitimerade sig	legitimerat sig
leka	2b	play (like children), spawn (fish)	lek!	leker	lekte	lekt
lemlästa	1	maim	lemlästa!	lemlästar	lemlästade	lemlästat
leta	1	search, look for	leta!	letar	letade	letat
leva	2a	live, be alive, exist, subsist	lev!	lever	levde	levt, levat
leverera	1	deliver, supply, furnish	leverera!	levererar	levererade	levererat
licensiera	1	license	licensiera!	licensierar	licensierade	licensierat
lida	4	suffer, suffer from, be afflicted with	lid!	lider	led	lidit
lifta	1	hitchhike	lifta!	liftar	liftade	liftat
ligga	4	lie, repose, be situated/located	ligg!	ligger	låg	legat
ligga med	4	sleep with, have sex with	ligg med!	ligger med	låg med	legat med
ligga i	4	work hard, keep at it	ligg i!	ligger i	låg i	legat i
ligga under	4	be losing, be down by (sports)	ligg under!	ligger under	låg under	legat under

Infinitiv	Gr.	Definition & Notes	Imperativ	Presens	Preteritum	Supinum
likna	1	look like, resemble	likna!	liknar	liknade	liknat
limma	1	glue	limma!	limmar	limmade	limmat
linda	1	wrap, swaddle	linda!	lindar	lindade	lindat
lindra	1	soothe, relieve pain	lindra!	lindrar	lindrade	lindrat
lista ut	1	figure out, find out	lista ut!	listar ut	listade ut	listat ut
lita på	1	trust, depend, rely on	lita på!	litar på	litade på	litat på
liva upp	1	cheer up, stimulate	liva upp!	livar upp	livade upp	livat upp
ljuda	4	sound	ljud!	ljuder	ljöd	ljudit
ljuga	4	lie, concoct	ljug!	ljuger	ljög	ljugit
ljusna	1	get brighter, grow light	ljusna!	ljusnar	ljusnade	ljusnat
locka	1	lure, entice, call, curl	locka!	lockar	lockade	lockat
lokalisera	1	locate, contain, localize	lokalisera!	lokaliserar	lokaliserade	lokaliserat
lorta [ner]	1	soil, make dirty	lorta!	lortar	lortade	lortat
lossa	1	loosen, untie, undo	lossa!	lossar	lossade	lossat
lossna	1	fall off, come loose	lossna!	lossnar	lossnade	lossnat
lotta [ut]	1	raffle	lotta!	lottar	lottade	lottat
lova	1	promise	lova!	lovar	lovade	lovat
lovprisa	1	praise	lovprisa!	lovprisar	lovprisade	lovprisat
lufta	1	air out	lufta!	luftar	luftade	luftat
lugna	1	calm, soothe, appease, reassure, settle	lugna!	lugnar	lugnade	lugnat
lukta	1	smell, smell of	lukta!	luktar	luktade	luktat
luncha	1	have lunch	luncha!	lunchar	lunchade	lunchat
lunka	1	trot along	lunka!	lunkar	lunkade	lunkat
lura	1	deceive, swindle, fool, lure	lura!	lurar	lurade	lurat
lussa	1	**informal** take part in Lucia ceremony	lussa!	lussar	lussade	lussat
luta	1	lean, incline, slope	luta!	lutar	lutade	lutat
lyckas	1	succeed	lyckas!	lyckas	lyckades	lyckats
lyda	2a	obey, follow, be subordinate to	lyd!	lyder	lydde	lytt
lyfta	2b	lift, pull up, take off	lyft!	lyfter	lyfte	lyft
lysa	2b	light, shine, glare, beam	lys!	lyser	lyste, lös	lyst
lyssna	1	listen	lyssna!	lyssnar	lyssnade	lyssnat
låna	1	borrow	låna!	lånar	lånade	lånat
låna ut	1	lend	låna ut!	lånar ut	lånade ut	lånat ut
låsa	2b	lock, clasp, fasten	lås!	låser	låste	låst
låta	4	let, allow, permit, sound, sound like	låt!	låter	lät	låtit
låta bli	4	refrain from	låt bli!	låter bli	lät bli	låtit bli
låtsas	1	pretend, make believe	låtsas!	låtsas	låtsades	låtsats
läcka	2b	leak	läck!	läcker	läckte	läckt

Infinitiv	Gr.	Definition & Notes	Imperativ	Presens	Preteritum	Supinum
lägga	4	lay, put	lägg!	lägger	lade	lagt
lägga av	4	finish, stop, cut it out, call it a day	lägg av!	lägger av	lade av	lagt av
lägga ner	4	shut down permanently	lägg ner!	lägger ner	lade ner	lagt ner
lägga på	4	hang up the phone	lägg på!	lägger på	lade på	lagt på
lägga på minnet	4	memorize, remember	lägg på minnet!	lägger på minnet	lade på minnet	lagt på minnet
lägga sig	4	go to bed, lie down	lägg dig!	lägger sig	lade sig	lagt sig
lägga sig i	4	meddle, be nosy	lägg dig i!	lägger sig i	lade sig i	lagt sig i
lägga undan	4	put aside, lay away (merchandise)	lägg undan!	lägger undan	lade undan	lagt undan
lägga ut	4	lay out money, pay out, gain weight	lägg ut!	lägger ut	lade ut	lagt ut
läka	4	heal	läk!	läker	läkte	läkt
lämna	1	leave, drop something off	lämna!	lämnar	lämnade	lämnat
lämpa av	1	**informal** unload, drop something off	lämpa av!	lämpar av	lämpade av	lämpat av
lämpa sig	1	be suitable, be convenient	lämpa dig!	lämpar sig	lämpade sig	lämpat sig
längta [efter]	1	long for, yearn, look forward to, miss	längta!	längtar	längtade	längtat
länsa	1	clear out, empty completely	länsa!	länsar	länsade	länsat
lära	2a	learn, teach	lär!	lär	lärde	lärt
läsa	2b	read, study, be a student	läs!	läser	läste	läst
läsa på	2b	study, do homework	läs på!	läser på	läste på	läst på
lätta	1	lighten, alleviate, ease, lift	lätta!	lättar	lättade	lättat
löda	2a	solder	löd!	löder	lödde	lött
löddra	1	foam, lather	löddra!	löddrar	löddrade	löddrat
löpa	2b	run, extend	löp!	löper	löpte	löpt
lösa	2b	undo, loosen, release, untie, solve	lös!	löser	löste	löst

M

Infinitiv	Gr.	Definition & Notes	Imperativ	Presens	Preteritum	Supinum
magra	1	loose weight, become thinner	magra!	magrar	magrade	magrat
maka på sig	1	move over	maka på dig!	makar på sig	makade på sig	makat på sig
makulera	1	cancel, invalidate	makulera!	makulerar	makulerade	makulerat
mala	2a	grind, go on and on talking	mal!	maler	malde	malt
mana	1	urge, call for	mana!	manar	manade	manat
manifestera	1	manifest, display	manifestera!	manifesterar	manifesterade	manifesterat
manipulera	1	manipulate, tamper with	manipulera!	manipulerar	manipulerade	manipulerat
manövrera	1	maneuver, handle, control	manövrera!	manövrerar	manövrerade	manövrerat
marinera	1	marinate	marinera!	marinerar	marinerade	marinerat
markera	1	mark, indicate, stress, demonstrate	markera!	markerar	markerade	markerat
marknadsföra	2a	market, introduce or put onto the market	marknadsför!	marknadsför	marknadsförde	marknadsfört

Infinitiv	Gr.	Definition & Notes	Imperativ	Presens	Preteritum	Supinum
marschera	1	march	marschera!	marscherar	marscherade	marscherat
masa [sig]	1	drag oneself, shuffle	masa!	masar	masade	masat
maska	1	stall, play for time, pretend to work	maska!	maskar	maskade	maskat
maskera	1	mask, disguise	maskera!	maskerar	maskerade	maskerat
massera	1	massage	massera!	masserar	masserade	masserat
mata	1	feed	mata!	matar	matade	matat
matcha	1	match	matcha!	matchar	matchade	matchat
meddela	1	inform, report, send word, give notice	meddela!	meddelar	meddelade	meddelat
medge (medgiva)	4	admit, concede	medge!	medger	medgav	medgivit
medicinera	1	medicate	medicinera!	medicinerar	medicinerade	medicinerat
meditera	1	meditate	meditera!	mediterar	mediterade	mediterat
medla	1	mediate, arbitrate	medla!	medlar	medlade	medlat
medverka [i]	1	participate, contribute, assist	medverka!	medverkar	medverkade	medverkat
meka	1	**informal** fix, tinker (typically with cars, mopeds, etc.)	meka!	mekar	mekade	mekat
mellanlanda	1	have a lay-over, make an intermediate landing	mellanlanda!	mellanlandar	mellanlandade	mellanlandat
mena	1	mean, intend, be serious about	mena!	menar	menade	menat
menstruera	1	menstruate	-	menstruerar	menstruerade	menstruerat
mesa sig	1	**informal** be a coward, be a nerd	mesa dig!	mesar sig	mesade sig	mesat sig
mildra	1	make milder, soften, mitigate, reduce, tone down	mildra!	mildrar	mildrade	mildrat
mima	1	mime	mima!	mimar	mimade	mimat
minera	1	lay out mines	minera!	minerar	minerade	minerat
minnas	2a	remember, recall, recollect	minns!	minns	mindes	mints
minska	1	reduce, decrease, decline	minska!	minskar	minskade	minskat
missa	1	miss (a target), fail	missa!	missar	missade	missat
missbedöma	2a	misjudge, miscalculate	missbedöm!	missbedömer	missbedömde	missbedömt
missbruka	1	take advantage of, abuse, be addicted to	missbruka!	missbrukar	missbrukade	missbrukat
missförstå	4	misunderstand	missförstå!	missförstår	missförstod	missförstått
misshandla	1	assault, batter	misshandla!	misshandlar	misshandlade	misshandlat
missköta	2b	missmanage, neglect	misssköt!	missköter	misskötte	misskött
misslyckas	1	fail	misslyckas!	misslyckas	misslyckades	misslyckats
missta[ga]	4	misjudge, be mistaken	missta[g]!	misstar	misstog	misstagit
misstro	3	distrust, doubt	misstro!	misstror	misstrodde	misstrott
misstycka	2b	mind, object	misstyck!	misstycker	misstyckte	misstyckt
misstänka	2b	suspect	misstänk!	misstänker	misstänkte	misstänkt
missunna	1	begrudge, envy	missunna!	missunnar	missunnade	missunnat
missuppfatta	1	misjudge, mistake	missuppfatta!	missuppfattar	missuppfattade	missuppfattat
mista	2b	lose, be deprived of	mist!	mister	miste	mist

Infinitiv	Gr.	Definition & Notes	Imperativ	Presens	Preteritum	Supinum
mjukna	1	soften, weaken	mjukna!	mjuknar	mjuknade	mjuknat
mobba	1	mob, gang up on, tease cruelly	mobba!	mobbar	mobbade	mobbat
modernisera	1	modernize, bring up to date	modernisera!	moderniserar	moderniserade	moderniserat
modifiera	1	modify	modifiera!	modifierar	modifierade	modifierat
mogna	1	mature, ripen	mogna!	mognar	mognade	mognat
montera	1	assemble, mount, erect	montera!	monterar	monterade	monterat
moralisera	1	moralize	moralisera!	moraliserar	moraliserade	moraliserat
morra	1	growl	morra!	morrar	morrade	morrat
mosa	1	mash, beat to a pulp	mosa!	mosar	mosade	mosat
mota	1	block the way, drive somebody off, shoo	mota!	motar	motade	motat
motarbeta	1	oppose, combat, counteract	motarbeta!	motarbetar	motarbetade	motarbetat
motionera	1	exercise, motion (propose)	motionera!	motionerar	motionerade	motionerat
motivera	1	motivate	motivera!	motiverar	motiverade	motiverat
motstå	4	resist	motstå!	motstår	motstod	motstått
motsvara	1	correspond to, be equivalent to	motsvara!	motsvarar	motsvarade	motsvarat
motsätta sig	2b	oppose	motsätt dig!	motsätter sig	motsatte sig	motsatt sig
motta[ga]	4	receive	motta[g]!	mottar (mottager)	mottog	mottagit
motverka	1	counteract, obstruct, neutralize	motverka!	motverkar	motverkade	motverkat
moussera	1	sparkle (wine), fizz	moussera!	mousserar	mousserade	mousserat
mucka	1	pick a fight, get out of the army	mucka!	muckar	muckade	muckat
mula	1	rub snow in someone's face	mula!	mular	mulade	mulat
mulna	1	cloud, darken	mulna!	mulnar	mulnade	mulnat
multna	1	moulder, rot	multna!	multnar	multnade	multnat
mumla	1	mumble	mumla!	mumlar	mumlade	mumlat
mumsa [på]	1	munch	mumsa!	mumsar	mumsade	mumsat
munhuggas	4	argue, bicker	munhuggs!	munhuggs	munhöggs	munhuggits
muntra upp	1	cheer somebody up	muntra upp!	muntrar upp	muntrade upp	muntrat upp
mura	1	lay bricks, do masonry	mura!	murar	murade	murat
muta	1	bribe	muta!	mutar	mutade	mutat
muttra	1	mutter, grumble	muttra!	muttrar	muttrade	muttrat
mygla	1	pull strings, wheel and deal	mygla!	myglar	myglade	myglat
myllra [av]	1	swarm with	myllra!	myllrar	myllrade	myllrat
mynna	1	flow/emerge into, open out, terminate at (like a river, cave or tunnel)	mynna!	mynnar	mynnade	mynnat
mysa	2b	feel nice and cosy	mys!	myser	myste	myst
må	3	feel (health or mood), get on	må!	mår	mådde	mått
måla	1	paint, depict	måla!	målar	målade	målat
måla sig	1	put on make up	måla dig!	målar sig	målade sig	målat sig

Infinitiv	Gr.	Definition & Notes	Imperativ	Presens	Preteritum	Supinum
måna om	1	care for, be concerned about, be particular about	måna om!	månar om	månade om	månat om
(måste)	4	There is no infinitive for this verb. See **vara tvungen**	-	måste	-	måst
måtta	1	aim, take aim at, measure	måtta!	måttar	måttade	måttat
märka	2b	sense, notice, mark, label, brand	märk!	märker	märkte	märkt
mäta	2b	measure, match, compare	mät!	mäter	mätte	mätt
mätta	1	fill up, end hunger, saturate	mätta!	mättar	mättade	mättat
möblera	1	furnish	möblera!	möblerar	möblerade	möblerat
möblera om	1	rearrange the furniture	möblera om!	möblerar om	möblerade om	möblerat om
mögla	1	mould, mildew	mögla!	möglar	möglade	möglat
mönstra	1	inspect, scrutinize, be enlisted for military service	mönstra!	mönstrar	mönstrade	mönstrat
mörda	1	murder, kill, assassinate	mörda!	mördar	mördade	mördat
mörkna	1	darken, get dark	-	mörknar	mörknade	mörknat
möta	2b	meet	möt!	möter	mötte	mött

N

Infinitiv	Gr.	Definition & Notes	Imperativ	Presens	Preteritum	Supinum
nafsa	1	snap (up or at), nibble	nafsa!	nafsar	nafsade	nafsat
nalla	1	**informal** pinch, swipe, steal	nalla!	nallar	nallade	nallat
nappa [på]	1	bite (as in "bite the bait")	nappa!	nappar	nappade	nappat
narra	1	fool, trick somebody	narra!	narrar	narrade	narrat
nattvandra	1	for adults to mingle with youth on city streets at night to prevent drug-use and violence	nattvandra!	nattvandrar	nattvandrade	nattvandrat
navigera	1	navigate, steer	navigera!	navigerar	navigerade	navigerat
nedkomma	4	give birth	-	nedkommer	nedkom	nedkommit
nedlåta sig	4	condescend, stoop to	nedlåt dig!	nedlåter sig	nedlät sig	nedlåtit sig
nedrusta	1	disarm, reduce armaments	nedrusta!	nedrustar	nedrustade	nedrustat
negera	1	negate	negera!	negerar	negerade	negerat
neka	1	refuse, deny	neka!	nekar	nekade	nekat
neutralisera	1	neutralize	neutralisera!	neutraliserar	neutraliserade	neutraliserat
niga	4	curtsy	nig!	niger	neg	nigit
nita	1	**informal** hit someone	nita!	nitar	nitade	nitat
njuta	4	enjoy, be satisfied, to have pleasure in	njut!	njuter	njöt	njutit
nobba	1	**informal** reject, turn somebody down, brush somebody off	nobba!	nobbar	nobbade	nobbat
nonchalera	1	ignore, disregard, neglect	nonchalera!	nonchalerar	nonchalerade	nonchalerat
normalisera	1	normalize	normalisera!	normaliserar	normaliserade	normaliserat
nosa	1	sniff	nosa!	nosar	nosade	nosat

Infinitiv	Gr.	Definition & Notes	Imperativ	Presens	Preteritum	Supinum
notera	1	notice, make a note of	notera!	noterar	noterade	noterat
nudda	1	touch, brush by	nudda!	nuddar	nuddade	nuddat
numrera	1	number	numrera!	numrerar	numrerade	numrerat
nyktra till	1	sober up	nyktra till!	nyktrar till	nyktrade till	nyktrat till
nynna	1	hum	nynna!	nynnar	nynnade	nynnat
nypa	4	pinch	nyp!	nyper	nöp	nupit, nypt
nysa	4,2b	sneeze	nys!	nyser	nös, nyste	nyst
nå	3	reach, attain	nå!	når	nådde	nått
nämna	2a	mention	nämn!	nämner	nämnde	nämnt
nära	2a	nourish, feed, support	när!	när	närde	närt
närma	1	bring closer	närma!	närmar	närmade	närmat
närma sig	1	approach, get closer to	närma dig!	närmar sig	närmade sig	närmat sig
närvara	1	be present at, attend	närvara!	närvarar	närvarade	närvarat
nödlanda	1	make an emergency landing	nödlanda!	nödlandar	nödlandade	nödlandat
nöja sig [med]	2a	make do with, be content with	nöj dig!	nöjer sig	nöjde sig	nöjt sig
nöta	2b	wear and tear, abrade, fray	nöt!	nöter	nötte	nött

O

Infinitiv	Gr.	Definition & Notes	Imperativ	Presens	Preteritum	Supinum
obducera	1	perform an autopsy	obducera!	obducerar	obducerade	obducerat
observera	1	observe, watch	observera!	observerar	observerade	observerat
ockupera	1	occupy	ockupera!	ockuperar	ockuperade	ockuperat
odla	1	cultivate, grow, raise	odla!	odlar	odlade	odlat
offentliggöra	4	announce, make public	offentliggör!	offentliggör	offentliggjorde	offentliggjort
offra	1	sacrifice, give up	offra!	offrar	offrade	offrat
ofreda	1	molest	ofreda!	ofredar	ofredade	ofredat
oja sig [över]	1	moan, whine, complain	oja dig!	ojar sig	ojade sig	ojat sig
olja	1	grease, oil, lubricate	olja!	oljar	oljade	oljat
omfatta	1	encompass, include, cover, comprise	omfatta!	omfattar	omfattade	omfattat
omforma	1	transform, remodel, convert	omforma!	omformar	omformade	omformat
omge (omgiva)	4	surround, enclose	omge!	omger	omgav	omgett
omkomma	4	die accidentally	omkom!	omkommer	omkom	omkommit
omskola	1	retrain, change professions	omskola!	omskolar	omskolade	omskolat
omskära	4	circumsise	omskär!	omskär	omskar	omskurit
omsätta	2b	turnover, sell	omsätt!	omsätter	omsatte	omsatt
omvända	2a	convert	omvänd!	omvänder	omvände	omvänt
onanera	1	masturbate	onanera!	onanerar	onanerade	onanerat
operera	1	operate, perform surgery	operera!	opererar	opererade	opererat

Infinitiv	Gr.	Definition & Notes	Imperativ	Presens	Preteritum	Supinum
opponera sig	1	object, raise objections	opponera dig!	opponerar sig	opponerade sig	opponerat sig
ordna	1	put in order, make orderly, settle, arrange	ordna!	ordnar	ordnade	ordnat
organisera	1	organize	organisera!	organiserar	organiserade	organiserat
orientera	1	orient, practise orienteering	orientera!	orienterar	orienterade	orienterat
orka	1	have energy to, be able, manage	orka!	orkar	orkade	orkat
oroa sig	1	worry	oroa dig!	oroar sig	oroade sig	oroat sig
orsaka	1	cause	orsaka!	orsakar	orsakade	orsakat
osa	1	smoke, reek	osa!	osar	osade	osat

P

Infinitiv	Gr.	Definition & Notes	Imperativ	Presens	Preteritum	Supinum
packa	1	pack, stow, stuff	packa!	packar	packade	packat
paddla	1	paddle, canoe	paddla!	paddlar	paddlade	paddlat
paginera	1	number pages, paginate	paginera!	paginerar	paginerade	paginerat
paja	1	**informal** break, ruin, break down	paja!	pajar	pajade	pajat
paketera	1	packet, crate	paketera!	paketerar	paketerade	paketerat
palla	1	**informal** cope with, stand, steal fruit	palla!	pallar	pallade	pallat
panta	1	get money on returning bottles	panta!	pantar	pantade	pantat
pantsätta	2b	pawn	pantsätt!	pantsätter	pantsatte	pantsatt
para ihop	1	pair, match	para ihop!	parar ihop	parade ihop	parat ihop
para sig	1	mate, copulate	para dig!	parar sig	parade sig	parat sig
paralysera	1	paralyze	paralysera!	paralyserar	paralyserade	paralyserat
parasitera [på]	1	sponge off of somebody, mooch	parasitera!	parasiterar	parasiterade	parasiterat
parera	1	fend off	parera!	parerar	parerade	parerat
parkera	1	park	parkera!	parkerar	parkerade	parkerat
passa	1	pass (throw), look after, suit	passa!	passar	passade	passat
passa in	1	fit in	passa in!	passar in	passade in	passat in
passa på	1	seize an opportunity	passa på!	passar på	passade på	passat på
passa sig	1	watch one's back	passa dig!	passar sig	passade sig	passat sig
passa upp	1	attend, wait on, serve	passa upp!	passar upp	passade upp	passat upp
passera	1	pass, overtake, go by	passera!	passerar	passerade	passerat
patentera	1	patent	patentera!	patenterar	patenterade	patenterat
patrullera	1	patrol	patrullera!	patrullerar	patrullerade	patrullerat
pausa	1	pause	pausa!	pausar	pausade	pausat
paxa	1	reserve something (children's talk)	paxa!	paxar	paxade	paxat
pejla [läget]	1	**informal** check out the scene, check out what's happening	pejla!	pejlar	pejlade	pejlat

peka - porta

Infinitiv	Gr.	Definition & Notes	Imperativ	Presens	Preteritum	Supinum
peka	1	point, indicate	peka!	pekar	pekade	pekat
pendla	1	commute, swing, pendulate	pendla!	pendlar	pendlade	pendlat
pensioneras	1	be retired (from a job)	pensionera!	pensioneras	pensionerades	pensionerats
pensla	1	brush	pensla!	penslar	penslade	penslat
peppa upp	1	**informal** cheer up, pep	peppa upp!	peppar upp	peppade upp	peppat upp
permanenta sig	1	get a perm	permanenta dig!	permanentar sig	permanentade sig	permanentat sig
personifiera	1	personify	personifiera!	personifierar	personifierade	personifierat
peta	1	poke, get rid of (somebody)	peta!	petar	petade	petat
petitionera	1	petition	petitionera!	petitionerar	petitionerade	petitionerat
pigga upp	1	cheer up	pigga upp!	piggar upp	piggade upp	piggat upp
piggna till	1	come around, become more lively	piggna till!	piggnar till	piggnade till	piggnat till
pika	1	taunt, jeer, ridicule	pika!	pikar	pikade	pikat
pilla	1	fiddle with something	pilla!	pillar	pillade	pillat
pina	1	torment, torture	pina!	pinar	pinade	pinat
pipa	4	pipe, peep, chirp	pip!	piper	pep	pipit
piska	1	whip, flog	piska!	piskar	piskade	piskat
pissa	1	**vulgar** piss	pissa!	pissar	pissade	pissat
pjoska med	1	pamper, indulge	pjoska med!	pjoskar med	pjoskade med	pjoskat med
placera	1	place, seat, set, station	placera!	placerar	placerade	placerat
pladdra	1	chatter, babble	pladdra!	pladdrar	pladdrade	pladdrat
plagiera	1	plagiarize	plagiera!	plagierar	plagierade	plagierat
planera	1	plan	planera!	planerar	planerade	planerat
planka	1	**informal** enter without paying	planka!	plankar	plankade	plankat
plantera	1	plant	plantera!	planterar	planterade	planterat
platsa	1	**informal** qualify, make the team	platsa!	platsar	platsade	platsat
platta till	1	flatten	platta till!	plattar till	plattade till	plattat till
plocka	1	pick, pluck	plocka!	plockar	plockade	plockat
ploga	1	clear the road of snow	ploga!	plogar	plogade	plogat
plugga	1	**informal** study	plugga!	pluggar	pluggade	pluggat
plundra	1	plunder, loot, strip	plundra!	plundrar	plundrade	plundrat
plåga	1	torment, plague	plåga!	plågar	plågade	plågat
plåstra om	1	bandage, dress a wound	plåstra om!	plåstrar om	plåstrade om	plåstrat om
plåta	1	**informal** photograph	plåta!	plåtar	plåtade	plåtat
plädera	1	plead (in court)	plädera!	pläderar	pläderade	pläderat
plöja	2a	plow	plöj!	plöjer	plöjde	plöjt
pola [med]	1	**informal** be friends, hang out together	pola!	polar	polade	polat
polera	1	polish	polera!	polerar	polerade	polerat
porta	1	**informal** bar somebody from a club or restaurant	porta!	portar	portade	portat

Infinitiv	Gr.	Definition & Notes	Imperativ	Presens	Preteritum	Supinum
posera	1	pose	posera!	poserar	poserade	poserat
posta	1	mail	posta!	postar	postade	postat
poströsta	1	vote by mail	poströsta!	poströstar	poströstade	poströstat
poängtera	1	emphasize, point out	poängtera!	poängterar	poängterade	poängterat
praktisera	1	practice medicine, do an internship	praktisera!	praktiserar	praktiserade	praktiserat
prata	1	talk, chat	prata!	pratar	pratade	pratat
precisera	1	specify, define exactly	precisera!	preciserar	preciserade	preciserat
predika	1	preach, lecture	predika!	predikar	predikade	predikat
prenumerera	1	subscribe	prenumerera!	prenumererar	prenumererade	prenumererat
preparera	1	prepare, compose	preparera!	preparerar	preparerade	preparerat
presentera	1	introduce, present	presentera!	presenterar	presenterade	presenterat
preservera	1	preserve	preservera!	preserverar	preserverade	preserverat
pressa	1	press, iron	pressa!	pressar	pressade	pressat
pressa sig	1	exert oneself	pressa dig!	pressar sig	pressade sig	pressat sig
prestera	1	accomplish, perform, produce	prestera!	presterar	presterade	presterat
pricka	1	hit (a goal), write someone up	pricka!	prickar	prickade	prickat
prioritera	1	give priority	prioritera!	prioriterar	prioriterade	prioriterat
prisa	1	praise	prisa!	prisar	prisade	prisat
privatisera	1	privatize	privatisera!	privatiserar	privatiserade	privatiserat
processa	1	carry on a lawsuit	processa!	processar	processade	processat
producera	1	produce, manufacture, grow	producera!	producerar	producerade	producerat
profilera	1	profile, create image for oneself	profilera!	profilerar	profilerade	profilerat
profitera [på]	1	profit (from)	profitera!	profiterar	profiterade	profiterat
programmera	1	program	programmera!	programmerar	programmerade	programmerat
projektera	1	project, plan	projektera!	projekterar	projekterade	projekterat
proklamera	1	proclaim	proklamera!	proklamerar	proklamerade	proklamerat
promenera	1	take a walk	promenera!	promenerar	promenerade	promenerat
proppa i sig	1	stuff oneself (with food)	proppa i dig!	proppar i sig	proppade i sig	proppat i sig
propsa [på]	1	insist on	propsa!	propsar	propsade	propsat
prostituera sig	1	prostitute oneself	prostituera dig!	prostituerar sig	prostituerade sig	prostituerat sig
protestera	1	protest, object	protestera!	protesterar	protesterade	protesterat
prova	1	test, try out/on, sample	prova!	provar	provade	provat
provanställa	2a	employ for a trial period	provanställ!	provanställer	provanställde	provanställt
provocera	1	provoke, instigate	provocera!	provocerar	provocerade	provocerat
provsjunga	4	audition (sing)	provsjung!	provsjunger	provsjöng	provsjungit
provspela	1	audition (act or play an instrument)	provspela!	provspelar	provspelade	provspelat
pruta	1	haggle, bargain	pruta!	prutar	prutade	prutat
pryda	2a	adorn, decorate	pryda!	pryder	prydde	prytt

Infinitiv	Gr.	Definition & Notes	Imperativ	Presens	Preteritum	Supinum
prygla	1	flog, whip, beat, thrash	prygla!	pryglar	pryglade	pryglat
pråla [med]	1	flaunt, show off	pråla!	prålar	prålade	prålat
prägla	1	coin, emboss, characterize, mark, form	prägla!	präglar	präglade	präglat
pröva	1	try, check, examine	pröva!	prövar	prövade	prövat
psyka	1	**informal** psych out	psyka!	psykar	psykade	psykat
publicera	1	publish	publicera!	publicerar	publicerade	publicerat
pudra	1	powder	pudra!	pudrar	pudrade	pudrat
pulsera	1	pulsate, beat, throb	pulsera!	pulserar	pulserade	pulserat
pumpa	1	pump, pump up, inflate	pumpa!	pumpar	pumpade	pumpat
punga ut med	1	shell out, pay, cough up	punga ut med!	pungar ut med	pungade ut med	pungat ut med
pusta	1	sigh heavily, huff	pusta!	pustar	pustade	pustat
putsa	1	clean, polish, whipe	putsa!	putsar	putsade	putsat
putta	1	push, putt	putta!	puttar	puttade	puttat
pynta	1	decorate, deck	pynta!	pyntar	pyntade	pyntat
pysa [iväg]	2b,4	**informal** sneak off, be off	pys!	pyser	pyste, pös	pyst
pyssla [med]	1	potter, tinker	pyssla!	pysslar	pysslade	pysslat
påbörja	1	start, commence	påbörja!	påbörjar	påbörjade	påbörjat
pågå	4	be in progress, be going on	–	pågår	pågick	pågått
påminna	2a	remind	påminn!	påminner	påminde	påmint
påpeka	1	point out, call attention to	påpeka!	påpekar	påpekade	påpekat
påstå	4	claim, allege, maintain, argue, state	påstå!	påstår	påstod	påstått
påta	1	poke, potter about	påta!	påtar	påtade	påtat
påtvinga	1	force upon	påtvinga!	påtvingar	påtvingade	påtvingat
påverka	1	influence, have an effect on	påverka!	påverkar	påverkade	påverkat
pösa	2b	puff up, swell up	pös!	pöser	pöste	pöst

R

Infinitiv	Gr.	Definition & Notes	Imperativ	Presens	Preteritum	Supinum
rabbla	1	rattle off	rabbla!	rabblar	rabblade	rabblat
rada upp	1	line up	rada upp!	radar upp	radade upp	radat upp
radera	1	erase, wipe out	radera!	raderar	raderade	raderat
raffinera	1	refine	raffinera!	raffinerar	raffinerade	raffinerat
rafsa ihop	1	scramble together	rafsa ihop!	rafsar ihop	rafsade ihop	rafsat ihop
ragga [upp]	1	flirt, pick up someone, get hold of	ragga!	raggar	raggade	raggat
ragla	1	stagger, reel	ragla!	raglar	raglade	raglat
raka	1	shave	raka!	rakar	rakade	rakat
rama in	1	frame (a picture)	rama in!	ramar in	ramade in	ramat in
ramla	1	fall, tumble, topple over	ramla!	ramlar	ramlade	ramlat

Infinitiv	Gr.	Definition & Notes	Imperativ	Presens	Preteritum	Supinum
ramma	1	ram	ramma!	rammar	rammade	rammat
rangordna	1	rank, grade	rangordna!	rangordnar	rangordnade	rangordnat
ranka	1	rank	ranka!	rankar	rankade	rankat
ransonera	1	ration	ransonera!	ransonerar	ransonerade	ransonerat
rapa	1	burp, belch	rapa!	rapar	rapade	rapat
rapportera	1	report	rapportera!	rapporterar	rapporterade	rapporterat
rasa	1	cave in, fall down, be furious	rasa!	rasar	rasade	rasat
rasera	1	demolish, destroy, lay in ruins	rasera!	raserar	raserade	raserat
rasta	1	exercise the dog, break, halt	rasta!	rastar	rastade	rastat
rata	1	shun, refuse, turn down	rata!	ratar	ratade	ratat
rationalisera	1	rationalize	rationalisera!	rationaliserar	rationaliserade	rationaliserat
ratta	1	**informal** drive, steer	ratta!	rattar	rattade	rattat
rea	1	**informal** have a sale	rea!	rear	reade	reat
reagera	1	react, respond	reagera!	reagerar	reagerade	reagerat
realisera	1	have a sale, implement	realisera!	realiserar	realiserade	realiserat
reda upp/ut	2a	unravel, disentangle, sort out	red upp!	reder upp	redde upp	rett upp
redigera	1	edit, draft, reword, rewrite	redigera!	redigerar	redigerade	redigerat
redovisa	1	account for	redovisa!	redovisar	redovisade	redovisat
reducera	1	reduce, diminish, lower	reducera!	reducerar	reducerade	reducerat
referera	1	refer, give an account of, cover sports	referera!	refererar	refererade	refererat
reflektera	1	reflect, contemplate, consider	reflektera!	reflekterar	reflekterade	reflekterat
reformera	1	reform, reorganize	reformera!	reformerar	reformerade	reformerat
refusera	1	reject, decline, turn down	refusera!	refuserar	refuserade	refuserat
regera	1	reign, rule, govern	regera!	regerar	regerade	regerat
regissera	1	direct (a movie)	regissera!	regisserar	regisserade	regisserat
registera	1	register, sign up	registrera!	registrerar	registrerade	registrerat
regla	1	bolt, lock	regla!	reglar	reglade	reglat
reglera	1	regulate, adjust	reglera!	reglerar	reglerade	reglerat
regna	1	rain	regna!	regnar	regnade	regnat
rehabilitera	1	rehabilitate	rehabilitera!	rehabiliterar	rehabiliterade	rehabiliterat
reklamera	1	make a complaint, return a product due to a fault	reklamera!	reklamerar	reklamerade	reklamerat
rekognoscera	1	reconnoiter, scout, explore	rekognoscera!	rekognoscerar	rekognoscerade	rekognoscerat
rekommendera	1	recommend, register or certify mail	rekommendera!	rekommenderar	rekommenderade	rekommenderat
rekrytera	1	recrute	rekrytera!	rekryterar	rekryterade	rekryterat
relatera	1	relate	relatera!	relaterar	relaterade	relaterat
relaxa	1	**informal** relax	relaxa!	relaxar	relaxade	relaxat
relegera	1	expel	relegera!	relegerar	relegerade	relegerat
rena	1	clean, cleanse, purify	rena!	renar	renade	renat

Infinitiv	Gr.	Definition & Notes	Imperativ	Presens	Preteritum	Supinum
renovera	1	renovate, restore, repair	renovera!	renoverar	renoverade	renoverat
rensa	1	clean, clear	rensa!	rensar	rensade	rensat
repa	1	1 scratch, score **2 informal** rehearse	repa!	repar	repade	repat
repa sig	1	recover, recuperate, get better, improve	repa dig!	repar sig	repade sig	repat sig
repetera	1	repeat, rehearse	repetera!	repeterar	repeterade	repeterat
representera	1	represent, be typical of, entertain (officially)	representera!	representerar	representerade	representerat
reproducera	1	reproduce	reproducera!	reproducerar	reproducerade	reproducerat
resa	2b	travel, journey	res!	reser	reste	rest
resa sig	2b	rise, get up, stand up	res dig!	reser sig	reste sig	rest sig
reservera	1	reserve, keep in reserve	reservera!	reserverar	reserverade	reserverat
resonera	1	reason, argue, discuss	resonera!	resonerar	resonerade	resonerat
respektera	1	respect	respektera!	respekterar	respekterade	respekterat
restaurera	1	restore, renovate	restaurera!	restaurerar	restaurerade	restaurerat
resultera [i]	1	result in, end in	resultera!	resulterar	resulterade	resulterat
reta	1	tease, mock, irritate	reta!	retar	retade	retat
returnera	1	return, send back	returnera!	returnerar	returnerade	returnerat
revidera	1	revise, modify, audit	revidera!	reviderar	reviderade	reviderat
revoltera	1	revolt, rise against	revoltera!	revolterar	revolterade	revolterat
revolutionera	1	revolutionize	revolutionera!	revolutionerar	revolutionerade	revolutionerat
rida	4	ride (an animal)	rid!	rider	red	ridit
rikta	1	direct, point, aim	rikta!	riktar	riktade	riktat
rimma	1	rhyme	rimma!	rimmar	rimmade	rimmat
ringa	2a	telephone, ring, chime	ring!	ringer	ringde	ringt
ringa in	1	surround, encircle	ringa in!	ringar in	ringade in	ringat in
ringla	1	meander, wind, wriggle	ringla!	ringlar	ringlade	ringlat
rinna	4	run, flow, pour, leak	rinn!	rinner	rann	runnit
riskera	1	risk, endanger, jeopardize	riskera!	riskerar	riskerade	riskerat
rispa	1	scratch	rispa!	rispar	rispade	rispat
rista	1	carve, engrave	rista!	ristar	ristade	ristat
rita	1	draw, draft	rita!	ritar	ritade	ritat
riva	4	tear, demolish, tear, scratch	riv!	river	rev	rivit
ro	3	row	ro!	ror	rodde	rott
roa	1	entertain, amuse	roa!	roar	roade	roat
roa sig	1	have a good time, enjoy	roa dig!	roar sig	roade sig	roat sig
rodna	1	blush, redden	rodna!	rodnar	rodnade	rodnat
roffa [åt sig]	1	grab, plunder	roffa!	roffar	roffade	roffat
ropa	1	shout, yell	ropa!	ropar	ropade	ropat
rosta	1	rust, roast, toast	rosta!	rostar	rostade	rostat

Infinitiv	Gr.	Definition & Notes	Imperativ	Presens	Preteritum	Supinum
rota	1	rummage, search hastily, ransack	rota!	rotar	rotade	rotat
rota sig	1	take root, settle down	rota dig!	rotar sig	rotade sig	rotat sig
rotera	1	rotate, revolve, turn	rotera!	roterar	roterade	roterat
rubba	1	move, budge, disturb	rubba!	rubbar	rubbade	rubbat
ruinera	1	ruin, bankrupt	ruinera!	ruinerar	ruinerade	ruinerat
rulla	1	roll	rulla!	rullar	rullade	rullat
rumla [runt]	1	party, be out on the town	rumla!	rumlar	rumlade	rumlat
runda	1	round, go around	runda!	rundar	rundade	rundat
runda av	1	round off	runda av!	rundar av	rundade av	rundat av
runka	1	**vulgar** masturbate, jack off	runka!	runkar	runkade	runkat
rusa	1	rush, dart, hurry	rusa!	rusar	rusade	rusat
ruska	1	shake	ruska!	ruskar	ruskade	ruskat
rusta	1	arm, equip, get ready for	rusta!	rustar	rustade	rustat
ruttna	1	rot, go bad, decompose	ruttna!	ruttnar	ruttnade	ruttnat
ruva	1	incubate, brood, hover	ruva!	ruvar	ruvade	ruvat
rycka	2b	jerk, pull, tug	ryck!	rycker	ryckte	ryckt
rygga tillbaka	1	recoil, flinch	rygga tillbaka!	ryggar tillbaka	ryggade tillbaka	ryggat tillbaka
rykta	1	groom a horse	rykta!	ryktar	ryktade	ryktat
rymma	2a	escape, run away, make a getaway	rym!	rymmer	rymde	rymt
rynka	1	wrinkle, pucker, furrow	rynka!	rynkar	rynkade	rynkat
ryta	4	roar, yell, bellow, bark out	ryt!	ryter	röt	rutit
råda	2a	advise, counsel	råd!	råder	rådde	rått
rådfråga	1	consult, seek advice	rådfråga!	rådfrågar	rådfrågade	rådfrågat
råka	1	happen to, happen upon, meet	råka!	råkar	råkade	råkat
råma	1	moo (like a cow)	råma!	råmar	råmade	råmat
råna	1	rob, mug	råna!	rånar	rånade	rånat
räcka	2b	reach, pass, be enough	räck!	räcker	räckte	räckt
rädda	1	save, rescue	rädda!	räddar	räddade	räddat
räfsa	1	rake	räfsa!	räfsar	räfsade	räfsat
räkna	1	count, calculate, do mathematics	räkna!	räknar	räknade	räknat
räkna med	1	count on, anticipate, reckon	räkna med!	räknar med	räknade med	räknat med
rämna	1	come apart, fall apart	rämna!	rämnar	rämnade	rämnat
ränna	2a	run	ränn!	ränner	rände	ränt
rätta	1	correct, grade/mark a test	rätta!	rättar	rättade	rättat
rättfärdiga	1	justify, excuse	rättfärdiga!	rättfärdigar	rättfärdigade	rättfärdigat
röja	2a	**1** clear, remove obstacles, **2 Informal** party hard	röj!	röjer	röjde	röjt
röka	2b	smoke, smoke tobacco	rök!	röker	rökte	rökt
röntga	1	x-ray	röntga!	röntgar	röntgade	röntgat

Infinitiv	Gr.	Definition & Notes	Imperativ	Presens	Preteritum	Supinum
röra	2a	touch, move, stir	rör!	rör	rörde	rört
röra [på] sig	2a	make a movement, get some exercise	rör dig!	rör sig	rörde sig	rört sig
röra till [något]	2a	make a mess of things	rör till!	rör till	rörde till	rört till
rösta	1	vote	rösta!	röstar	röstade	röstat
röva	1	rob, plunder	röva!	rövar	rövade	rövat
röva bort	1	abduct, kidnap	röva bort!	rövar bort	rövade bort	rövat bort

S

sabba	1	**informal** sabotage, destroy, ruin, spoil	sabba!	sabbar	sabbade	sabbat
sabotera	1	sabotage, destroy, ruin, spoil	sabotera!	saboterar	saboterade	saboterat
saka	1	discard	saka!	sakar	sakade	sakat
sakna	1	miss, long for, lack	sakna!	saknar	saknade	saknat
sakta [ner/in/av]	1	slow down	sakta ner!	saktar ner	saktade ner	saktat ner
samarbeta	1	collaborate, cooperate	samarbeta!	samarbetar	samarbetade	samarbetat
samla	1	collect, gather	samla!	samlar	samlade	samlat
sammangadda sig [mot]	1	gang up on	sammangadda er!	sammangaddar sig	sammangaddade sig	sammangaddat sig
sammanträda	2a	meet, assemble	sammanträd!	sammanträder	sammanträdde	sammanträtt
samordna	1	coordinate	samordna!	samordnar	samordnade	samordnat
samsas	1	get along, share	samsas!	samsas	samsades	samsats
samtala	1	talk, converse	samtala!	samtalar	samtalade	samtalat
samtycka	2b	consent, agree	samtyck!	samtycker	samtyckte	samtyckt
samverka	1	cooperate, interact	samverka!	samverkar	samverkade	samverkat
samåka	2b	carpool, ride together to lower costs	samåk!	samåker	samåkte	samåkt
sanera	1	decontaminate, clean up	sanera!	sanerar	sanerade	sanerat
sansa sig	1	calm down, compose oneself	sansa dig!	sansar sig	sansade sig	sansat sig
satsa	1	stake, venture, invest, bet on	satsa!	satsar	satsade	satsat
scanna	1	scan	scanna!	scannar	scannade	scannat
se	4	see, look	se!	ser	såg	sett
se efter	4	check out, look up, look after, guard	se efter!	ser efter	såg efter	sett efter
se ner på	4	look down on, condescend	se ner på!	ser ner på	såg ner på	sett ner på
se till	4	make sure, see to	se till!	ser till	såg till	sett till
se upp	4	watch out	se upp!	ser upp	såg upp	sett upp
se ut	4	appear, look like, select	se ut!	ser ut	såg ut	sett ut
segla	1	sail	segla!	seglar	seglade	seglat
segra	1	win, triumph, conquer	segra!	segrar	segrade	segrat
semestra	1	vacation, summer	semestra!	semestrar	semestrade	semestrat

Infinitiv	Gr.	Definition & Notes	Imperativ	Presens	Preteritum	Supinum
senarelägga	4	postpone, reschedule for a later time	senarelägg!	senarelägger	senarelade	senarelagt
separera	1	separate, divide	separera!	separerar	separerade	separerat
serietillverka	1	mass produce	serietillverka!	serietillverkar	serietillverkade	serietillverkat
serva	1	serve (sport), service, have something serviced	serva!	servar	servade	servat
servera	1	serve (food), wait	servera!	serverar	serverade	serverat
shoppa	1	go shopping	shoppa!	shoppar	shoppade	shoppat
signalera	1	signal, indicate	signalera!	signalerar	signalerade	signalerat
signera	1	sign	signera!	signerar	signerade	signerat
sikta	1	aim, shoot for, sight	sikta!	siktar	siktade	siktat
sila	1	strain, trickle, filter	sila!	silar	silade	silat
simma	1	swim	simma!	simmar	simmade	simmat
simulera	1	simulate, act	simulera!	simulerar	simulerade	simulerat
sitta	4	sit, be located, fit	sitt!	sitter	satt	suttit
sitta fast	4	be attached/stuck	sitt fast!	sitter fast	satt fast	suttit fast
sitta inne	4	1 be indoors 2 **informal** be in prison, do time	sitt inne!	sitter inne	satt inne	suttit inne
sitta inne med	4	be in possession of	sitt inne med!	sitter inne med	satt inne med	suttit inne med
sitta åt	4	fit tightly	sitt åt!	sitter åt	satt åt	suttit åt
sjabbla [bort]	1	**informal** screw up, lose an advantage	sjabbla!	sjabblar	sjabblade	sjabblat
sjuda	4	seethe, simmer,	sjud!	sjuder	sjöd	sjudit
sjukanmäla sig	2a	call in sick to work/school	sjukanmäl dig!	sjukanmäler sig	sjukanmälde sig	sjukanmält sig
sjunga	4	sing	sjung!	sjunger	sjöng	sjungit
sjunka	4	sink, settle, decline	sjunk!	sjunker	sjönk	sjunkit
skada	1	injure, damage, harm	skada!	skadar	skadade	skadat
skaffa	1	get, acquire, obtain, procure, raise	skaffa!	skaffar	skaffade	skaffat
skaka	1	shake, tremble, jolt	skaka!	skakar	skakade	skakat
skala	1	peel, shell	skala!	skalar	skalade	skalat
skapa	1	create, make, invent	skapa!	skapar	skapade	skapat
skatta	1	pay taxes	skatta!	skattar	skattade	skattat
skava	2a	rub, scrape, chafe	skav!	skaver	skavde	skavt
ske	3	happen, come about, take place	ske!	sker	skedde	skett
skela	1	squint, be cross-eyed	skela!	skelar	skelade	skelat
skicka	1	pass, send, mail	skicka!	skickar	skickade	skickat
skicka efter	1	send for, order by mail	skicka efter!	skickar efter	skickade efter	skickat efter
skifta	1	change, alter, alternate, shift	skifta!	skiftar	skiftade	skiftat
skildra	1	describe, give an account of	skildra!	skildrar	skildrade	skildrat
skilja	2a	separate, detach, distinguish	skilj!	skiljer	skilde	skilt
skilja sig	2a	divorce, stand out	skilj dig!	skiljer sig	skilde sig	skilt sig
skina	4	shine	-	skiner	sken	skinit

Infinitiv	Gr.	Definition & Notes	Imperativ	Presens	Preteritum	Supinum
skingra	1	disperse	skingra!	skingrar	skingrade	skingrat
skissa	1	sketch, outline	skissa!	skissar	skissade	skissat
skita	4	**vulgar** shit	skit!	skiter	sket	skitit
skjuta	4	shoot, fire, push	skjut!	skjuter	sköt	skjutit
skjuta upp	4	postpone	skjut upp!	skjuter upp	skjöt upp	skjutit upp
skjutsa	1	give a lift/ride to, drive somebody somewhere	skjutsa!	skjutsar	skjutsade	skjutsat
skoja	1	joke, play around, swindle	skoja!	skojar	skojade	skojat
skola	4	be about to (shall)	-	ska (skall)	skulle	skolat
skolka	1	be absent from school without permission, skip class	skolka!	skolkar	skolkade	skolkat
skona	1	have mercy on, spare, treat gently	skona!	skonar	skonade	skonat
skotta	1	shovel snow	skotta!	skottar	skottade	skottat
skramla	1	rattle, jingle	skramla!	skramlar	skramlade	skramlat
skrapa	1	scrape	skrapa!	skrapar	skrapade	skrapat
skratta	1	laugh	skratta!	skrattar	skrattade	skrattat
skrida	4	glide, slide, proceed	skrid!	skrider	skred	skridit
skrika	4	shout, scream, shriek, cry	skrik!	skriker	skrek	skrikit
skriva	4	write	skriv!	skriver	skrev	skrivit
skriva av	4	copy, write off	skriv av!	skriver av	skrev av	skrivit av
skriva in sig	4	sign in, enlist, join, enroll	skriv in dig!	skriver in sig	skrev in sig	skrivit in sig
skriva på	4	sign, endorse	skriv på!	skriver på	skrev på	skrivit på
skrota	1	scrap	skrota!	skrotar	skrotade	skrotat
skrubba	1	scrub	skrubba!	skrubbar	skrubbade	skrubbat
skruva	1	screw, twist	skruva!	skruvar	skruvade	skruvat
skryta	4	brag, boast	skryt!	skryter	skröt	skrutit
skråla	1	bellow, sing and shout	skråla!	skrålar	skrålade	skrålat
skrälla	2a	blare, crash	skräll!	skräller	skrällde	skrällt
skrämma	2a	frighten, scare	skräm!	skrämmer	skrämde	skrämt
skräna	1	be noisy/loud, yell	skräna!	skränar	skränade	skränat
skräpa ner	1	litter, make a mess	skräpa ner!	skräpar ner	skräpade ner	skräpat ner
skugga	1	shade, shadow, tail	skugga!	skuggar	skuggade	skuggat
skuldsätta [sig]	2b	run into debt	skuldsätt!	skuldsätter	skuldsatte	skuldsatt
skulptera	1	sculpt	skulptera!	skulpterar	skulpterade	skulpterat
skura	1	scrub, polish	skura!	skurar	skurade	skurat
skvallra	1	gossip, tattle, rat, tell on someone	skvallra!	skvallrar	skvallrade	skvallrat
skvätta	2b	splash, drizzle	skvätt!	skvätter	skvätte	skvätt
skydda	1	protect, secure, preserve, shelter, shield	skydda!	skyddar	skyddade	skyddat
skyffla	1	shovel	skyffla!	skyfflar	skyfflade	skyfflat
skyla [över]	2a	hide, cover, veil	skyl!	skyler	skylde	skylt

Infinitiv	Gr.	Definition & Notes	Imperativ	Presens	Preteritum	Supinum
skylla [på]	2a	blame	skyll!	skyller	skyllde	skyllt
skylta	1	display something	skylta!	skyltar	skyltade	skyltat
skymfa	1	insult, outrage, disrespect	skymfa!	skymfar	skymfade	skymfat
skymma	2a	get dark, dim, obscure, conceal	skym!	skymmer	skymde	skymt
skymta	1	peep out, catch a glimpse	skymta!	skymtar	skymtade	skymtat
skynda	1	hurry, hasten	skynda!	skyndar	skyndade	skyndat
skåda	1	see, look upon, behold	skåda!	skådar	skådade	skådat
skåla	1	toast, drink to somebody's health	skåla!	skålar	skålade	skålat
skålla	1	scald	skålla!	skållar	skållade	skållat
skälla	2a	bark, yell, scold	skäll!	skäller	skällde	skällt
skända	1	defile, desecrate	skända!	skändar	skändade	skändat
skämta	1	joke, kid around	skämta!	skämtar	skämtade	skämtat
skänka	2b	bestowe, give, donate	skänk!	skänker	skänkte	skänkt
skära	4	cut, carve, crop	skär!	skär	skar	skurit
skärpa sig	2b	pull oneself together	skärp dig!	skärper sig	skärpte sig	skärpt sig
skölja	2a	rinse, wash	skölj!	sköljer	sköljde	sköljt
skörda	1	harvest	skörda!	skördar	skördade	skördat
sköta	2b	take care of, nurse, nurture	sköt!	sköter	skötte	skött
sköta sig	2b	behave oneself, keep oneself in check	sköt dig!	sköter sig	skötte sig	skött sig
sladda	1	skid	sladda!	sladdar	sladdade	sladdat
slagga	1	**Informal** sleep	slagga!	slaggar	slaggade	slaggat
slakta	1	butcher, slaughter, massacre	slakta!	slaktar	slaktade	slaktat
slappa	1	**Informal** relax, lounge, be lazy	slappa!	slappar	slappade	slappat
slappna av	1	relax, unwind, take it easy	slappna av!	slappnar av	slappnade av	slappnat av
slarva	1	be careless, waste	slarva!	slarvar	slarvade	slarvat
slava	1	slave, drudge	slava!	slavar	slavade	slavat
slicka	1	lick	slicka!	slickar	slickade	slickat
slingra [sig]	1	wind, meander, wriggle, evade, dodge	slingra!	slingrar	slingrade	slingrat
slipa	1	sand, hone, grind, polish	slipa!	slipar	slipade	slipat
slippa	4	escape, be spared, be excused from	slipp!	slipper	slapp	sluppit
slira	1	skid, spin, slid	slira!	slirar	slirade	slirat
slita	4	wear out, work hard	slit!	sliter	slet	slitit
slockna	1	go out (light, fire or candle)	slockna!	slocknar	slocknade	slocknat
sloka	1	droop, slouch	sloka!	slokar	slokade	slokat
slopa	1	abolish, skip	slopa!	slopar	slopade	slopat
sluka	1	swallow, devour	sluka!	slukar	slukade	slukat
slumra	1	sleep, doze, slumber	slumra!	slumrar	slumrade	slumrat
sluta	1	finish, end, stop	sluta!	slutar	slutade	slutat

Infinitiv	Gr.	Definition & Notes	Imperativ	Presens	Preteritum	Supinum
sluta	4	close, shut, enter into	slut!	sluter	slöt	slutit
sluta upp	4	assemble, support	slut upp!	sluter upp	slöt upp	slutit upp
slutföra	2a	complete, finish	slutför!	slutför	slutförde	slutfört
slutta	1	slope, slant, incline	slutta!	sluttar	sluttade	sluttat
slå	4	hit, beat, reap	slå!	slår	slog	slagit
slå av	4	switch off, knock off, flick	slå av!	slår av	slog av	slagit av
slå fast	4	establish	slå fast!	slår fast	slog fast	slagit fast
slå igenom	4	catch on, become popular	slå igenom!	slår igenom	slog igenom	slagit igenom
slå in	4	wrap, break (inwards)	slå in!	slår in	slog in	slagit in
slå runt	4	informal party	slå runt!	slår runt	slog runt	slagit runt
slå sig	4	hurt oneself	slå dig!	slår sig	slog sig	slagit sig
slå sig ner	4	sit down, take a seat	slå dig ner!	slår sig ner	slog sig ner	slagit sig ner
slå upp	4	look up (in a dictionary), open (a book), ladle	slå upp!	slår upp	slog upp	slagit upp
slå ut	4	bloom, blossom, knock out, spill, distribute costs	slå ut!	slår ut	slog ut	slagit ut
slå vad	4	make a bet	slå vad	slår vad	slog vad	slagit vad
slåss	4	fight, be in a fight	slåss!	slåss	slogs	slagits
släcka	2b	turn out the light, extinguish, quench	släck!	släcker	släckte	släckt
slänga	2a	throw away, toss	släng!	slänger	slängde	slängt
släpa	1	drag, trail, shuffle along	släpa!	släpar	släpade	släpat
släppa	2b	release, let go	släpp!	släpper	släppte	släppt
släppa loss	2b	informal unwind, go wild	släpp loss!	släpper loss	släppte loss	släppt loss
släppa sig	2b	fart, break wind	släpp dig!	släpper sig	släppte sig	släppt sig
släta [ut/över]	1	smooth [out/over]	släta!	slätar	slätade	slätat
slöa	1	be lazy/idle, lounge	slöa!	slöar	slöade	slöat
slöjda	1	do crafts	slöjda!	slöjdar	slöjdade	slöjdat
slösa	1	waste, spend recklessly	slösa!	slösar	slösade	slösat
smaka	1	taste, try	smaka!	smakar	smakade	smakat
smaksätta	2b	flavor, season	smaksätt!	smaksätter	smaksatte	smaksatt
smeka	2b	carress, stroke	smek!	smeker	smekte	smekt
smickra	1	flatter	smickra!	smickrar	smickrade	smickrat
smida	2a	forge, smith	smid!	smider	smidde	smitt
sminka [sig]	1	put on make-up	sminka!	sminkar	sminkade	sminkat
smita	4	sneak off, get away, evade, hit and run	smit!	smiter	smet	smitit
smitta	1	infect, be contagious	smitta!	smittar	smittade	smittat
smuggla	1	smuggle	smuggla!	smugglar	smugglade	smugglat
smula [sönder]	1	crumble	smula!	smular	smulade	smulat
smussla	1	be sneaky, cheat, practice underhanded tricks	smussla!	smusslar	smusslade	smusslat
smutsa [ner]	1	litter, make something dirty	smutsa!	smutsar	smutsade	smutsat

Infinitiv	Gr.	Definition & Notes	Imperativ	Presens	Preteritum	Supinum
smutskasta	1	conduct a smear campaign against	smutskasta!	smutskastar	smutskastade	smutskastat
smycka	1	adorn, decorate	smycka!	smyckar	smyckade	smyckat
smyga	4	sneak, slip, creep	smyg!	smyger	smög	smugit
smälla	2a	bang, knock, smack	smäll!	smäller	smällde	smällt
smälla till	2a	slap, hit	smäll till!	smäller till	smällde till	smällt till
smälta	2b	melt, digest	smält!	smälter	smälte	smält
smälta in	2b	blend in, integrate into	smält in!	smälter in	smälte in	smält in
smöra [för]	1	**Informal** suck up to	smöra!	smörar	smörade	smörat
smörja	4	oil, grease	smörj!	smörjer	smorde	smort
snappa upp	1	pick up, learn, happen to hear	snappa upp!	snappar upp	snappade upp	snappat upp
snarka	1	snore	snarka!	snarkar	snarkade	snarkat
snatta	1	to shoplift	snatta!	snattar	snattade	snattat
snava	1	trip, stumble	snava!	snavar	snavade	snavat
snegla [på/åt]	1	glance at	snegla!	sneglar	sneglade	sneglat
snickra	1	do carpentry, work with wood	snickra!	snickrar	snickrade	snickrat
snida	1	whittle, carve wood	snida!	snidar	snidade	snidat
sniffa	1	sniff, snort (also about drugs)	sniffa!	sniffar	sniffade	sniffat
sno	3	**1** hurry **2** twist **3 Informal** steal	sno!	snor	snodde	snott
snubbla	1	trip, stumble	snubbla!	snubblar	snubblade	snubblat
snusa	1	take snuff/chewing tobacco	snusa!	snusar	snusade	snusat
snyfta	1	sob	snyfta!	snyftar	snyftade	snyftat
snygga till [sig]	1	freshen up, clean up	snygga till!	snyggar till	snyggade till	snyggat till
snylta	1	sponge off of somebody, mooch	snylta!	snyltar	snyltade	snyltat
snyta [sig]	4	blow one's nose	snyt!	snyter	snöt	snutit
snåla	1	be stingy, economize, save	snåla!	snålar	snålade	snålat
snärja	2a	ensnare, trap	snärj!	snärjer	snärjde	snärjt
snäsa [åt]	2b	snap at	snäs!	snäser	snäste	snäst
snäsa av [någon]	2b	snub, cut somebody off	snäs av!	snäser av	snäste av	snäst av
snöa	1	snow	snöa!	snöar	snöade	snöat
snöra	2a,(1)	lace (shoes)	snöra!	snör (snörar)	snörde (snörade)	snört (snörat)
sola	1	sunbathe	sola!	solar	solade	solat
somna	1	fall asleep, doze off	somna!	somnar	somnade	somnat
sopa	1	sweep	sopa!	sopar	sopade	sopat
sortera	1	sort, grade	sortera!	sorterar	sorterade	sorterat
sova	4	sleep	sov!	sover	sov	sovit
spana	1	watch, gaze, investigate	spana!	spanar	spanade	spanat
spana in	1	**Informal** check out, get an eyeful of	spana in!	spanar in	spanade in	spanat in
spara	1	save, keep, reserve	spara!	sparar	sparade	sparat

Infinitiv	Gr.	Definition & Notes	Imperativ	Presens	Preteritum	Supinum
sparka	1	1 kick 2 informal fire	sparka!	sparkar	sparkade	sparkat
specialisera sig [på/inom]	1	specialize [in]	specialisera dig!	specialiserar sig	specialiserade sig	specialiserat sig
specificera	1	specify	specificera!	specificerar	specificerade	specificerat
spegla	1	reflect, mirror	spegla!	speglar	speglade	speglat
speja	1	spy for, do reconnaissance	speja!	spejar	spejade	spejat
spela	1	play (games, instruments), feign, pretend, gamble	spela!	spelar	spelade	spelat
spela in	1	tape-record, film, shoot	spela in!	spelar in	spelade in	spelat in
spendera	1	spend	spendera!	spenderar	spenderade	spenderat
spika	1	nail	spika!	spikar	spikade	spikat
spilla	2a	spill, drop	spill!	spiller	spillde	spillt
spinna	4	spin, rotate, purr (like a cat)	spinn!	spinner	spann	spunnit
splittra	1	shatter, divide	splittra!	splittrar	splittrade	splittrat
spola	1	1 flush, rinse 2 informal drop somebody	spola!	spolar	spolade	spolat
sponsra	1	sponsor	sponsra!	sponsrar	sponsrade	sponsrat
spotta	1	spit, churn out	spotta!	spottar	spottade	spottat
spreja	1	spray	spreja!	sprejar	sprejade	sprejat
spricka	4	crack, fracture, burst	sprick!	spricker	sprack	spruckit
sprida	2a,4	spread, distribute, scatter	sprid!	sprider	spridde, spred	spritt, spridit
springa	4	run	spring!	springer	sprang	sprungit
spruta	1	squirt, spout, spray	spruta!	sprutar	sprutade	sprutat
spräcka	2b	crack, split, burst, spoil	spräck!	spräcker	spräckte	spräckt
spränga	2a	blow up, burst, force open	spräng!	spränger	sprängde	sprängt
spurta	1	spurt	spurta!	spurtar	spurtade	spurtat
spy	3	vomit, spew, belch forth	spy!	spyr	spydde	spytt
spå	3	tell fortunes, predict	spå!	spår	spådde	spått
spåra	1	trace, track	spåra!	spårar	spårade	spårat
spåra ur	1	derail, get out of hand	spåra ur!	spårar ur	spårade ur	spårat ur
spä[da] [ut]	2b	dilute, mix	spä[d]!	spär (späder)	spädde	spätt
spänna	2a	fasten, tighten, strain	spänn!	spänner	spände	spänt
spärra	1	bar, block, hinder	spärra!	spärrar	spärrade	spärrat
spöa	1	informal beat up, give somebody a thashing	spöa!	spöar	spöade	spöat
spöka	1	haunt, be haunted	spöka!	spökar	spökade	spökat
stadga	1	steady, settle down, decree	stadga!	stadgar	stadgade	stadgat
stagnera	1	stagnate	stagnera!	stagnerar	stagnerade	stagnerat
staka sig	1	stumble (verbally), hesitate	staka dig!	stakar sig	stakade sig	stakat sig
stamma	1	stutter	stamma!	stammar	stammade	stammat
stampa	1	stomp	stampa!	stampar	stampade	stampat
stanna	1	stay, remain, come to a stop	stanna!	stannar	stannade	stannat

Infinitiv	Gr.	Definition & Notes	Imperativ	Presens	Preteritum	Supinum
stapla	1	stack, pile	stapla!	staplar	staplade	staplat
starta	1	start, take off, set out	starta!	startar	startade	startat
stava	1	spell	stava!	stavar	stavade	stavat
steka	2b	fry, roast	stek!	steker	stekte	stekt
stelna	1	stiffen, become rigid, coagulate, solidify, set	stelna!	stelnar	stelnade	stelnat
sterilisera	1	sterilize, neuter, spay	sterilisera!	steriliserar	steriliserade	steriliserat
sticka	4	**1** knit, poke, sting, puncture, **2** **informal** leave, be off	stick!	sticker	stack	stuckit
stiga	4	step, rise	stig!	stiger	steg	stigit
stiga upp	4	get out of bed, rise	stig upp!	stiger upp	steg upp	stigit upp
stimulera	1	stimulate	stimulera!	stimulerar	stimulerade	stimulerat
stinka	4	stink	stink!	stinker	stank	-
stirra	1	stare, glare	stirra!	stirrar	stirrade	stirrat
stjäla	4	steal	stjäl!	stjäl	stal	stulit
stoja	1	be noisy/boisterous, make a racket	stoja!	stojar	stojade	stojat
stoppa	1	stuff, stop, stem, tuck	stoppa!	stoppar	stoppade	stoppat
storkna	1	choke, suffocate	storkna!	storknar	storknade	storknat
storma	1	storm, rush	storma!	stormar	stormade	stormat
straffa	1	punish	straffa!	straffar	straffade	straffat
strejka	1	be on strike	strejka!	strejkar	strejkade	strejkat
stressa	1	be stressed, rush somebody	stressa!	stressar	stressade	stressat
strida	4	fight, battle, be contrary to	strid!	strider	stred	stridit
strosa	1	stroll	strosa!	strosar	strosade	strosat
strukturera	1	structure	strukturera!	strukturerar	strukturerade	strukturerat
strula	1	**informal** make a mess of things, fool around	strula!	strular	strulade	strulat
strunta i	1	ignore, not care about	strunta i!	struntar i	struntade i	struntat i
stryka	4	stroke, iron, coat, apply, cancel, delete	stryk!	stryker	strök	strukit
strypa	4	strangle, choke	stryp!	stryper	ströp	strupit
sträcka	2b	stretch	sträck!	sträcker	sträckte	sträckt
strö	3	sprinkle, strew, scatter about	strö!	strör	strödde	strött
studera	1	study, be a student	studera!	studerar	studerade	studerat
studsa	1	bounce, rebound	studsa!	studsar	studsade	studsat
stuka	1	sprain	stuka!	stukar	stukade	stukat
stympa	1	mutilate, maim	stympa!	stympar	stympade	stympat
styra	2a	steer, direct, govern, rule	styr!	styr	styrde	styrt
stå	4	stand, stand up, be placed, be written	stå!	står	stod	stått
stå emot	4	withstand, resist	stå emot!	står emot	stod emot	stått emot
stå på	4	be going on, be happening	-	står på	stod på	stått på
stå på sig	4	persist, hold one's own ground	stå på dig!	står på sig	stod på sig	stått på sig

Infinitiv	Gr.	Definition & Notes	Imperativ	Presens	Preteritum	Supinum
stå ut [med]	4	endure, put up with, tolerate	stå ut!	står ut	stod ut	stått ut
städa	1	clean, organize	städa!	städar	städade	städat
ställa	2a	put, place, set	ställ!	ställer	ställde	ställt
ställa in	2a	cancel an event, tune in	ställ in!	ställer in	ställde in	ställt in
ställa om	2a	reset, rearrange, readjust	ställ om!	ställer om	ställde om	ställt om
ställa sig in	2a	suck up, ingratiate oneself	ställ dig in!	ställer sig in	ställde sig in	ställt sig in
ställa till	2a	cause, arrange, create	ställ till!	ställer till	ställde till	ställt till
ställa upp	2a	attend, participate, be there for someone, help	ställ upp!	ställer upp	ställde upp	ställt upp
ställa ut	2a	exhibit	ställ ut!	ställer ut	ställde ut	ställt ut
stämma	2a	be correct, tally, correspond, sue, tune	stäm!	stämmer	stämde	stämt
stämpla	1	stamp, brand, label, postmark	stämpla!	stämplar	stämplade	stämplat
stänga	2a	close, shut, shut down (a business)	stäng!	stänger	stängde	stängt
stänka	2b	splatter, splash, sprinkle	stänk!	stänker	stänkte	stänkt
stärka	2b	strengthen	stärk!	stärker	stärkte	stärkt
stödja	2a	support, base	stöd!	stödjer	stödde	stött
störa	2a	disturb, bother, interfere	stör!	stör	störde	stört
störta	1	overthrow, dash, crash	störta!	störtar	störtade	störtat
stöta	2b	thrust, pound, jolt	stöt!	stöter	stötte	stött
stöta bort	2b	repel, push somone away	stöt bort!	stöter bort	stötte bort	stött bort
stöta på	2b	1 happen upon, come across **2 informal** make a pass at somebody	stöt på!	stöter på	stötte på	stött på
stöta sig med	2b	offend, get on the wrong side of somebody	stöt dig med!	stöter sig med	stötte sig med	stött sig med
stötta	1	support, prop up	stötta!	stöttar	stöttade	stöttat
subtrahera	1	subtract	subtrahera!	subtraherar	subtraherade	subtraherat
subventionera	1	subsidize	subventionera!	subventionerar	subventionerade	subventionerat
sudda [ut]	1	blur, smudge, erase	sudda!	suddar	suddade	suddat
suga upp	4	absorb	sug upp!	suger upp	sög upp	sugit upp
suga	4	suck	sug!	suger	sög	sugit
summera	1	sum up, add up	summera!	summerar	summerade	summerat
sumpa	1	**informal** miss an opportunity	sumpa!	sumpar	sumpade	sumpat
supa	4	drink alcohol, booze	sup!	super	söp	supit
sura	1	sulk, mope	sura!	surar	surade	surat
surfa	1	surf	surfa!	surfar	surfade	surfat
surna	1	sour	-	surnar	surnade	surnat
svaja	1	sway	svaja!	svajar	svajade	svajat
svalka	1	cool	svalka!	svalkar	svalkade	svalkat
svalla	1	surge, swell, heave, run high	svalla!	svallar	svallade	svallat
svamla	1	ramble, rave, talk incoherently	svamla!	svamlar	svamlade	svamlat

Infinitiv	Gr.	Definition & Notes	Imperativ	Presens	Preteritum	Supinum
svara	1	answer, reply, respond	svara!	svarar	svarade	svarat
svarva	1	turn (on a lathe)	svarva!	svarvar	svarvade	svarvat
svepa	2b	sweep (down upon), wrap	svep!	sveper	svepte	svept
svetsa	1	weld	svetsa!	svetsar	svetsade	svetsat
svettas	1	sweat, perspire	svettas!	svettas	svettades	svettats
svida	4	sting, ache, burn, be sore	svid!	svider	sved	svidit
svika	4	fail, disappoint, betray, give out	svik!	sviker	svek	svikit
svikta	1	bend, waver, give way	svikta!	sviktar	sviktade	sviktat
svimma	1	faint, pass out	svimma!	svimmar	svimmade	svimmat
svullna [upp]	1	swell up	svullna!	svullnar	svullnade	svullnat
svälja	2a	swallow	svälj!	sväljer	svalde	svalt
svälta	4	starve, famish	svält!	svälter	svalt	svultit
svänga	2a	turn, swing, swivel, veer	sväng!	svänger	svängde	svängt
svära	4	swear, vow, curse (use vulgar language)	svär!	svär	svor	svurit
sväva	1	hover, glide, be suspended	sväva!	svävar	svävade	svävat
sy	3	sew, stitch up, suture	sy!	syr	sydde	sytt
syfta på	1	allude, refer to	syfta på!	syftar på	syftade på	syftat på
synas	2b	be seen/visible	-	syns	syntes	synts
synda	1	sin	synda!	syndar	syndade	syndat
sysselsätta	2b	keep busy, occupy, employ	sysselsätt!	sysselsätter	sysselsatte	sysselsatt
syssla med	1	be busy with, be up to	syssla med!	sysslar med	sysslade med	sysslat med
så	3	sow (seeds)	så!	sår	sådde	sått
såga	1	**1** saw **2 informal** give negative criticism	såga!	sågar	sågade	sågat
sålla	1	sift, sort, screen	sålla!	sållar	sållade	sållat
såra	1	hurt, wound, injure	såra!	sårar	sårade	sårat
säga	4	say, tell	säg!	säger	sa[de]	sagt
säga ifrån	4	speak out, declare, protest	säg ifrån!	säger ifrån	sa[de] ifrån	sagt ifrån
säga om	4	repeat, say again	säg om!	säger om	sa[de] om	sagt om
säga till	4	tell, order	säg till!	säger till	sa[de] till	sagt till
säga upp	4	lay off, let go, cancel a service	säg upp!	säger upp	sa[de] upp	sagt upp
säga upp sig	4	resign, quit one's work	säg upp dig!	säger upp sig	sa[de] upp sig	sagt upp sig
säga åt	4	order, tell somebody to do something	säg åt!	säger åt	sa[de] åt	sagt åt
säkra	1	secure, guarantee, safeguard	säkra!	säkrar	säkrade	säkrat
sälja	4	sell, market, vend	sälj!	säljer	sålde	sålt
sällskapa [med]	1	date, go steady (with)	sällskapa!	sällskapar	sällskapade	sällskapat
sända	2a	send, dispatch, broadcast	sänd!	sänder	sände	sänt
sänka	2b	reduce, lower, descend, sink down, submerge	sänk!	sänker	sänkte	sänkt
sära	1	separate	sära!	särar	särade	särat

Infinitiv	Gr.	Definition & Notes	Imperativ	Presens	Preteritum	Supinum
sätta	2b	set, put, place, plant	sätt!	sätter	satte	satt
sätta dit [någon]	2b	frame/get someone	sätt dit!	sätter dit	satte dit	satt dit
sätta efter	2b	pursue, chase	sätt efter!	sätter efter	satte efter	satt efter
sätta igång	2b	start up, begin, get going	sätt igång!	sätter igång	satte igång	satt igång
sätta ihop	2b	put together, assemble	sätt ihop!	sätter ihop	satte ihop	satt ihop
sätta in	2b	deposit money (into bank account)	sätt in!	sätter in	satte in	satt in
sätta på [någon]	2b	**vulgar** have sex with	sätt på!	sätter på	satte på	satt på
sätta på sig	2b	get dressed, put on clothing	sätt på dig!	sätter på sig	satte på sig	satt på sig
sätta sig	2b	sit down, take a seat	sätt dig!	sätter sig	satte sig	satt sig
sätta sig in i	2b	learn, acquaint oneself with	sätt dig in i!	sätter sig in i	satte sig in i	satt sig in i
söka	2b	search, seek, apply for	sök!	söker	sökte	sökt
söla	1	loiter, waste time	söla!	sölar	sölade	sölat
söla ner	1	soil, make something dirty	söla ner!	sölar ner	sölade ner	sölat ner
sörja	2a	grieve, lament, mourn	sörj!	sörjer	sörjde	sörjt
söva	2a	put to sleep, anaesthetize	söv!	söver	sövde	sövt

T

Infinitiv	Gr.	Definition & Notes	Imperativ	Presens	Preteritum	Supinum
ta[ga]	4	take	ta[g]!	tar (tager)	tog	tagit
ta av sig	4	take something off, disrobe, undress	tag av dig!	tar av sig	tog av sig	tagit av sig
ta emot	4	welcome, receive, accept	ta emot!	tar emot	tog emot	tagit emot
ta för sig	4	help oneself to something, do	ta för dig!	tar för sig	tog för sig	tagit för sig
ta i	4	make a physically strenuous effort	ta i!	tar i	tog i	tagit i
ta igen sig	4	rest, nap, recuperate	ta igen dig!	tar igen sig	tog igen sig	tagit igen sig
ta med	4	bring	ta med!	tar med	tog med	tagit med
ta om	4	repeat, say/read again	ta om!	tar om	tog om	tagit om
ta på sig	4	put on clothes, dress, undertake, take on	ta på dig!	tar på sig	tog på sig	tagit på sig
ta sig an	4	take on, take into one's care	ta dig an!	tar sig an	tog sig an	tagit sig an
ta sig för/till	4	do, resort to	ta dig för!	tar sig för	tog sig för	tagit sig för
ta sig till	4	do, be up to	ta dig till!	tar sig till	tog sig till	tagit sig till
ta till	4	exaggerate, resort to	ta till!	tar till	tog till	tagit till
ta ut	4	withdraw, take out	ta ut!	tar ut	tog ut	tagit ut
ta vägen	4	go away to, disappear off to	ta vägen!	tar vägen	tog vägen	tagit vägen
tacka	1	thank, say thank you	tacka!	tackar	tackade	tackat
tackla	1	tackle	tackla!	tacklar	tacklade	tacklat
tafsa	1	fiddle, grope	tafsa!	tafsar	tafsade	tafsat
tala	1	speak, give a speech	tala!	talar	talade	talat
tanka	1	fill a fuel tank	tanka!	tankar	tankade	tankat

Infinitiv	Gr.	Definition & Notes	Imperativ	Presens	Preteritum	Supinum
tappa	1	drop, lose, bottle	tappa!	tappar	tappade	tappat
tatuera	1	tattoo	tatuera!	tatuerar	tatuerade	tatuerat
teckna	1	draw, sketch	teckna!	tecknar	tecknade	tecknat
tendera	1	tend	tendera!	tenderar	tenderade	tenderat
tenta	1	**informal** take an exam at college level	tenta!	tentar	tentade	tentat
tentera	1	take an exam at college level	tentera!	tenterar	tenterade	tenterat
terrorisera	1	terrorize	terrorisera!	terroriserar	terroriserade	terroriserat
testa	1	test, try	testa!	testar	testade	testat
testamentera	1	bequeath, leave (in a will)	testamentera!	testamenterar	testamenterade	testamenterat
texta	1	write in block letters, subtitle	texta!	textar	textade	textat
tiga	4	be/remain silent	tig!	tiger	teg	tigit
tigga	2a	beg	tigg!	tigger	tiggde	tiggt
tillaga	1	cook, prepare food	tillaga!	tillagar	tillagade	tillagat
tillbakavisa	1	reject, repudiate, repel	tillbakavisa!	tillbakavisar	tillbakavisade	tillbakavisat
tillbe[dja]	4	worship	tillbe[d]!	tillber	tillbad	tillbett
tillfredställa	2a	satisfy, appease, gratify	tillfredställ!	tillfredställer	tillfredställde	tillfredställt
tillfriskna	1	get well, recover	tillfriskna!	tillfrisknar	tillfrisknade	tillfrisknat
tillfråga	1	ask, consult, inquire	tillfråga!	tillfrågar	tillfrågade	tillfrågat
tillföra	2a	add, bring to, supply, provide	tillför!	tillför	tillförde	tillfört
tillhöra	2a	belong to, be one of	tillhör!	tillhör	tillhörde	tillhört
tillreda	2a	cook, prepare food	tillred!	tillreder	tillredde	tillrett
tillsätta	2b	add, appoint	tillsätt!	tillsätter	tillsatte	tillsatt
tilltala	1	address, speak to, appeal to, attract, please	tilltala!	tilltalar	tilltalade	tilltalat
tillträda	2a	take over, come into, enter	tillträd!	tillträder	tillträdde	tillträtt
tillverka	1	manufacture, produce, make, craft	tillverka!	tillverkar	tillverkade	tillverkat
tillåta	4	allow, permit, consent to, tolerate	tillåt!	tillåter	tillät	tillåtit
tillägga	4	add something (verbally)	tillägg!	tillägger	tillade	tillagt
tillägna	1	dedicate	tillägna!	tillägnar	tillägnade	tillägnat
tillämpa	1	apply, put into practice	tillämpa!	tillämpar	tillämpade	tillämpat
tina	1	thaw	tina!	tinar	tinade	tinat
tippa	1	tip, dump, wager, bet	tippa!	tippar	tippade	tippat
titta	1	look, gaze	titta!	tittar	tittade	tittat
titulera	1	address somebody by title	titulera!	titulerar	titulerade	titulerat
tjafsa	1	**informal** bicker, fuss	tjafsa!	tjafsar	tjafsade	tjafsat
tjalla	1	**informal** squeal, snitch	tjalla!	tjallar	tjallade	tjallat
tjata	1	nag	tjata!	tjatar	tjatade	tjatat
tjockna	1	thicken	-	tjocknar	tjocknade	tjocknat
tjura	1	sulk, mope	tjura!	tjurar	tjurade	tjurat

Infinitiv	Gr.	Definition & Notes	Imperativ	Presens	Preteritum	Supinum
tjuta	4	howl, hoot, cry, shriek	tjut!	tjuter	tjöt	tjutit
tjuvlyssna	1	eavesdrop	tjuvlyssna!	tjuvlyssnar	tjuvlyssnade	tjuvlyssnat
tjäna	1	earn income, serve	tjäna!	tjänar	tjänade	tjänat
tjäna på	1	benefit from	tjäna på!	tjänar på	tjänade på	tjänat på
tjänstgöra	4	serve as, do duty	tjänstgör!	tjänstgör	tjänstgjorde	tjänstgjort
tolerera	1	tolerate	tolerera!	tolererar	tolererade	tolererat
tolka	1	interpret, render	tolka!	tolkar	tolkade	tolkat
torka	1	dry, wipe	torka!	torkar	torkade	torkat
tortera	1	torture	tortera!	torterar	torterade	torterat
trakassera	1	harass, pester	trakassera!	trakasserar	trakasserade	trakasserat
trampa	1	step, tread, pedal	trampa!	trampar	trampade	trampat
tramsa	1	**informal** goof off, act silly	tramsa!	tramsar	tramsade	tramsat
transplantera	1	transplant	transplantera!	transplanterar	transplanterade	transplanterat
transportera	1	transport	transportera!	transporterar	transporterade	transporterat
trappa upp	1	escalate	trappa upp!	trappar upp	trappade upp	trappat upp
trilla	1	fall down, drop, tumble	trilla!	trillar	trillade	trillat
trivas	2a	to be content/happy, thrive	trivs!	trivs	trivdes	trivts
tro	3	believe	tro!	tror	trodde	trott
trolla	1	conjure, do magic	trolla!	trollar	trollade	trollat
trotsa	1	defy, be obstinate	trotsa!	trotsar	trotsade	trotsat
truga	1	coax, cajole	truga!	trugar	trugade	trugat
trycka	2b	print, press, push	tryck!	trycker	tryckte	tryckt
tråka ut [någon]	1	bore, be tedious	tråka ut!	tråkar ut	tråkade ut	tråkat ut
träda	2a	tread, step	träd!	träder	trädde	trätt
träda i kraft	2a	come into effect	träd i kraft!	träder i kraft	trädde i kraft	trätt i kraft
träffa	1	meet, hit (a target)	träffa!	träffar	träffade	träffat
träna	1	practice, train, work out (in a gym)	träna!	tränar	tränade	tränat
tränga	2a	drive, press, push	träng!	tränger	trängde	trängt
trängas	2a	push and shove, jostle	trängs!	trängs	trängdes	trängts
trösta	1	comfort, console, solace	trösta!	tröstar	tröstade	tröstat
trötta ut	1	tire a person out	trötta ut!	tröttar ut	tröttade ut	tröttat ut
tugga	1	chew	tugga!	tuggar	tuggade	tuggat
turista	1	go touring, be a tourist	turista!	turistar	turistade	turistat
tuta	1	honk, toot	tuta!	tutar	tutade	tutat
tvinga	1	force, compel	tvinga!	tvingar	tvingade	tvingat
tvivla	1	doubt, be sceptical	tvivla!	tvivlar	tvivlade	tvivlat
tvätta	1	wash, clean, do laundry	tvätta!	tvättar	tvättade	tvättat
tycka	2b	think, feel, be of the opinion	tyck!	tycker	tyckte	tyckt
tycka om	2b	like, be fond of, enjoy	tyck om!	tycker om	tyckte om	tyckt om

Infinitiv	Gr.	Definition & Notes	Imperativ	Presens	Preteritum	Supinum
tyda	2a	interpret, decipher, solve	tyd!	tyder	tydde	tytt
tyda på	2a	point to, indicate	tyd på!	tyder på	tydde på	tytt på
tyna bort	1	fade [away]	tyna bort!	tynar bort	tynade bort	tynat bort
tysta	1	silence	tysta!	tystar	tystade	tystat
tystna	1	become silent	tystna!	tystnar	tystnade	tystnat
tåga	1	march, walk in a procession	tåga!	tågar	tågade	tågat
tåla	2a	bear, endure, tolerate, stand	tål!	tåler	tålde	tålt
täcka	2b	cover, cover up, coat	täck!	täcker	täckte	täckt
tälja	2a	carve, whittle	tälj!	täljer	täljde	täljt
tälta	1	camp in a tent	tälta!	tältar	tältade	tältat
tämja	2a	tame, break, domesticate, curb	tämj!	tämjer	tämjde	tämjt
tända	2a	turn on the light, light, set fire to	tänd!	tänder	tände	tänt
tänja	2a	stretch	tänj!	tänjer	tänjde	tänjt
tänka	2b	think, imagine, reason, intend	tänk!	tänker	tänkte	tänkt
täta	1	water-tighten, caulk, seal	täta!	tätar	tätade	tätat
tätna	1	thicken (as in fog)	tätna!	tätnar	tätnade	tätnat
tävla	1	compete, rival	tävla!	tävlar	tävlade	tävlat
töa	1	thaw (weather)	töa!	töar	töade	töat
töja	2a	strech out	töj!	töjer	töjde	töjt
tömma	2a	empty	töm!	tömmer	tömde	tömt
töras	2a	dare	-	törs	tordes	torts
törsta	1	thirst	törsta!	törstar	törstade	törstat

U

Infinitiv	Gr.	Definition & Notes	Imperativ	Presens	Preteritum	Supinum
umgås [med]	4	associate, fraternize, hang out with	umgås!	umgås	umgicks	umgåtts
undanbe[dja]	4	decline	undanbe[d]!	undanber	undanbad	undanbett
underhålla	4	entertain, maintain, keep financially	underhåll!	underhåller	underhöll	underhållit
underkasta sig	1	submit to	underkasta dig!	underkastar sig	underkastade sig	underkastat sig
underkänna	2a	fail (a student), disapprove of, reject	underkänn!	underkänner	underkände	underkänt
underrätta	1	inform, notify	underrätta!	underrättar	underrättade	underrättat
underskatta	1	underestimate	underskatta!	underskattar	underskattade	underskattat
understryka	4	emphasize, stress	understryk!	understryker	underströk	understrukit
undersöka	2b	investigate, examine, inspect, study, explore	undersök!	undersöker	undersökte	undersökt
underteckna	1	sign	underteckna!	undertecknar	undertecknade	undertecknat
undervisa	1	teach, instruct	undervisa!	undervisar	undervisade	undervisat
undkomma	4	escape, get away	-	undkommer	undkom	undkommit

Infinitiv	Gr.	Definition & Notes	Imperativ	Presens	Preteritum	Supinum
undra	1	wonder	undra!	undrar	undrade	undrat
undsätta	2b	relieve, rescue	undsätt!	undsätter	undsatte	undsatt
undvika	4	avoid	undvik!	undviker	undvek	undvikit
unna	1	not grudge somebody something, allow oneself something	unna!	unnar	unnade	unnat
uppehålla	4	detain, delay, maintain	uppehåll!	uppehåller	uppehöll	uppehållit
uppehålla sig	4	stay, dwell, reside	uppehåll dig!	uppehåller sig	uppehöll sig	uppehållit sig
uppenbara sig	1	appear, reveal oneself to	uppenbara dig!	uppenbarar sig	uppenbarade sig	uppenbarat sig
uppfatta	1	discern, catch, understand	uppfatta!	uppfattar	uppfattade	uppfattat
uppfinna	4	invent	uppfinn!	uppfinner	uppfann	uppfunnit
uppfostra	1	bring up, raise, educate, teach manners	uppfostra!	uppfostrar	uppfostrade	uppfostrat
uppfylla	2a	fulfil, comply, carry out	uppfyll!	uppfyller	uppfyllde	uppfyllt
uppföda	2a	raise (animals)	uppföd!	uppföder	uppfödde	uppfött
uppföra	2a	erect, perform	uppför!	uppför	uppförde	uppfört
uppföra sig	2a	behave oneself	uppför dig!	uppför sig	uppförde sig	uppfört sig
uppge (uppgiva)	4	state, give, declare	uppge!	uppger	uppgav	uppgett
upphäva	2a	abolish, annul, revoke, suspend	upphäv!	upphäver	upphävde	upphävt
upphöra	2a	cease, discontinue	upphör!	upphör	upphörde	upphört
uppkalla [efter]	1	name [after]	uppkalla!	uppkallar	uppkallade	uppkallat
uppklara	1	solve, sort out	uppklara!	uppklarar	uppklarade	uppklarat
uppleva	2a	experience	upplev!	upplever	upplevde	upplevt
upplysa	2b	inform, tell, enlighten	upplys!	upplyser	upplyste	upplyst
upplösa	2b	dissolve, disperse, disband	upplös!	upplöser	upplöste	upplöst
upplösas	2b	disintegrate, decompose	-	upplöses	upplöstes	upplösts
uppmana	1	urge, invite, request	uppmana!	uppmanar	uppmanade	uppmanat
uppmuntra	1	encourage, incite	uppmuntra!	uppmuntrar	uppmuntrade	upmuntrat
uppmärksamma	1	notice, observe, pay attention to	uppmärksamma!	uppmärksammar	uppmärksammade	uppmärksammat
uppoffra	1	sacrifice, do without	uppoffra!	uppoffrar	uppoffrade	uppoffrat
upprepa	1	repeat, reiterate, recur	upprepa!	upprepar	upprepade	uprepat
uppröra	2a	upset, agitate, shock	upprör!	upprör	upprörde	upprört
uppskatta	1	appreciate, value, estimate	uppskatta!	uppskattar	uppskattade	uppskattat
uppstå	4	arise	uppstå!	uppstår	uppstod	uppstått
uppträda	2a	perform, appear, behave	uppträd!	uppträder	uppträdde	uppträtt
upptäcka	2b	discover, detect, discern	upptäck!	upptäcker	upptäckte	upptäckt
urarta	1	degenerate, get out of hand	urarta!	urartar	urartade	urartat
urskilja	2a	discern, make out	urskilj!	urskiljer	urskilde	urskilt
urskulda sig	1	excuse oneself	urskulda dig!	urskuldar sig	urskuldade sig	urskuldat sig
ursäkta	1	excuse, forgive, pardon	ursäkta!	ursäktar	ursäktade	ursäktat
ursäkta sig	1	apologize, pardon oneself	ursäkta dig!	ursäktar sig	ursäktade sig	ursäktat sig

Infinitiv	Gr.	Definition & Notes	Imperativ	Presens	Preteritum	Supinum
utbilda	1	educate, train, instruct	utbilda!	utbildar	utbildade	utbildat
utbilda sig	1	receive an education, study	utbilda dig!	utbildar sig	utbildade sig	utbildat sig
utbringa	1	propose (a toast)	utbringa!	utbringar	utbringade	utbringat
utdela	1	distribute, give out	utdela!	utdelar	utdelade	utdelat
utebli[va]	4	fail to appear, be absent	utebli[v]!	uteblir	uteblev	uteblivit
utestänga	2a	shut out, shun	utestäng!	utestänger	utestängde	utestängt
utexaminera	1	to graduate someone, confer a degree upon	utexaminera!	utexaminerar	utexaminerade	utexaminerat
utfodra	1	feed	utfodra!	utfodrar	utfodrade	utfodrat
utföra	2a	execute, carry out, perform	utför!	utför	utförde	utfört
utgå	4	expire, be cancelled	utgå!	utgår	utgick	utgått
utgå ifrån	4	assume, suppose, emanate, originate	utgå ifrån!	utgår ifrån	utgick ifrån	utgått ifrån
utmärka	2b	characterize	utmärk!	utmärker	utmärkte	utmärkt
utmärka sig	2b	distinguish oneself	utmärk dig!	utmärker sig	utmärkte sig	utmärkt sig
utmäta	2b	seize property due to debt	utmät!	utmäter	utmätte	utmätt
utnyttja	1	use, utilize, exploit	utnyttja!	utnyttjar	utnyttjade	utnyttjat
utnämna	2a	appoint	utnämn!	utnämner	utnämnde	utnämnt
utreda	2a	investigate	utred!	utreder	utredde	utrett
utropa	1	exclaim, proclaim	utropa!	utropar	utropade	utropat
utrota	1	root out, exterminate	utrota!	utrotar	utrotade	utrotat
utrusta	1	equip, furnish, endow, arm	utrusta!	utrustar	utrustade	utrustat
utrymma	2a	evacuate, vacate	utrym!	utrymmer	utrymde	utrymt
utsätta [någon] för	2b	expose/subject somebody to	utsätt för!	utsätter för	utsatte för	utsatt för
uttala	1	pronounce, articulate	uttala!	uttalar	uttalade	uttalat
uttala sig	1	comment on, express an opinion	uttala dig!	uttalar sig	uttalade sig	uttalat sig
uttrycka	2b	express	uttryck!	uttrycker	uttryckte	uttryckt
utveckla	1	develop, evolve, elaborate, generate	utveckla!	utvecklar	utvecklade	utvecklat
utvinna	4	extract	utvinn!	utvinner	utvann	utvunnit
utvisa	1	expel, deport, eject from field (sports)	utvisa!	utvisar	utvisade	utvisat
utvärdera	1	evaluate	utvärdera!	utvärderar	utvärderade	utvärderat
utöva	1	practice, exercise, exert	utöva!	utövar	utövade	utövat

V

Infinitiv	Gr.	Definition & Notes	Imperativ	Presens	Preteritum	Supinum
vaccinera	1	vaccinate, immunize	vaccinera!	vaccinerar	vaccinerade	vaccinerat
vackla	1	stagger, waver, falter	vackla!	vacklar	vacklade	vacklat
vada	1	wade	vada!	vadar	vadade	vadat
vaja	1	sway, flutter	vaja!	vajar	vajade	vajat
vaka	1	keep watch/vigil over	vaka!	vakar	vakade	vakat

vakna - visitera

Infinitiv	Gr.	Definition & Notes	Imperativ	Presens	Preteritum	Supinum
vakna	1	awaken, wake up	vakna!	vaknar	vaknade	vaknat
vakta	1	guard, watch over, supervise, tend, herd	vakta!	vaktar	vaktade	vaktat
vallfärda	1	make a pilgrimage	vallfärda!	vallfärdar	vallfärdade	vallfärdat
vandra	1	hike, stroll, wander, roam	vandra!	vandrar	vandrade	vandrat
vanpryda	2a	disfigure, spoil the look of	vanpryd!	vanpryder	vanprydde	vanprytt
vantrivas	2a	feel ill at ease, dislike a place	-	vantrivs	vantrivdes	vantrivts
vanära	1	disgrace, dishonor, shame	vanära!	vanärar	vanärade	vanärat
vara	1	continue, last, go on	vara!	varar	varade	varat
vara	4	be, exist, behave	var!	är	var	varit
vara med	4	take part, be in on	var med!	är med	var med	varit med
vara med om	4	experience, witness	var med om!	är med om	var med om	varit med om
vara tvungen	4	must, to have to, be forced to Note: *Måste* does not have infinitive, past or imperative forms. Where applicable, use *vara tvungen* (be forced to) instead.	-	är tvungen *or* måste	var tvungen	varit tvungen *or* måst
variera	1	vary, fluctuate	variera!	varierar	varierade	varierat
varna	1	warn, caution	varna!	varnar	varnade	varnat
varsla	1	give notice/warning of	varsla!	varslar	varslade	varslat
vattna	1	water	vattna!	vattnar	vattnade	vattnat
ventilera	1	ventilate, debate, discuss	ventilera!	ventilerar	ventilerade	ventilerat
verka	1	seem, appear, function, effect	verka!	verkar	verkade	verkat
verkställa	2a	execute, carry out	verkställ!	verkställer	verkställde	verkställt
veta	4	know, be aware of	vet!	vet	visste	vetat
vibrera	1	vibrate	vibrera!	vibrerar	vibrerade	vibrerat
vifta	1	fan, wave, wag	vifta!	viftar	viftade	viftat
viga	2a	perform a marriage ceremony	vig!	viger	vigde	vigt
vika	4	fold, bend, yield, retreat	vik!	viker	vek	vikit
vikariera	1	substitute for someone	vikariera!	vikarierar	vikarierade	vikarierat
vila	1	rest, pause	vila!	vilar	vilade	vilat
vilja	4	want, wish, desire	-	vill	ville	velat
vilseleda	2a	mislead	vilseled!	vilseleder	vilseledde	vilselett
vina	4	whistle, howl (wind), whiz, buzz	vin!	viner	ven	vinit
vinka	1	wave, motion, beckon	vinka!	vinkar	vinkade	vinkat
vinna	4	win	vinn!	vinner	vann	vunnit
vinna på	4	benefit from, profit by	vinn på!	vinner på	vann på	vunnit på
virvla	1	whirl, spin	virvla!	virvlar	virvlade	virvlat
visa	1	show, point out, indicate	visa!	visar	visade	visat
visitera	1	frisk, search	visitera!	visiterar	visiterade	visiterat

Infinitiv	Gr.	Definition & Notes	Imperativ	Presens	Preteritum	Supinum
viska	1	whisper	viska!	viskar	viskade	viskat
vispa	1	whip, whisk, beat	vispa!	vispar	vispade	vispat
vissla	1	whistle	vissla!	visslar	visslade	visslat
vissna	1	wither	vissna!	vissnar	vissnade	vissnat
vitsa	1	pun, tell jokes	vitsa!	vitsar	vitsade	vitsat
volta	1	vault, somersault	volta!	voltar	voltade	voltat
vomera	1	vomit	vomera!	vomerar	vomerade	vomerat
vrida	4	turn, twist, wring	vrid!	vrider	vred	vridit
vrida sig	4	revolve, squirm, wiggle	vrid dig!	vrider sig	vred sig	vridit sig
vrida upp	4	wind up	vrid upp!	vrider upp	vred upp	vridit upp
vråla	1	roar, howl	vråla!	vrålar	vrålade	vrålat
våga	1	dare, risk, venture	våga!	vågar	vågade	vågat
våldföra sig på	2a	use violence on, violate	våldför dig på!	våldför sig på	våldförde sig på	våldfört sig på
våldta[ga]	4	rape	våldta[g]!	våldtar	våldtog	våldtagit
vålla	1	cause (in a harmful manner)	vålla!	vållar	vållade	vållat
vårda	1	take care of, look after, preserve	vårda!	vårdar	vårdade	vårdat
väcka	2b	awaken, arouse	väck!	väcker	väckte	väckt
vädja	1	appeal, plead	vädja!	vädjar	vädjade	vädjat
väga	2a	weigh	väg!	väger	vägde	vägt
vägra	1	refuse, reject	vägra!	vägrar	vägrade	vägrat
välja	2a	choose, elect, pick	välj!	väljer	valde	valt
välkomna	1	welcome	välkomna!	välkomnar	välkomnade	välkomnat
välsigna	1	bless	välsigna!	välsignar	välsignade	välsignat
välta	2b	overturn, tip over	vält!	välter	välte	vält
vända	2a	turn, turn over	vänd!	vänder	vände	vänt
vända om	2a	turn back	vänd om!	vänder om	vände om	vänt om
vända sig om	2a	turn around	vänd dig om!	vänder sig om	vände sig om	vänt sig om
vänja sig [vid]	4	get used to, acclimatize	vänj dig!	vänjer sig	vande sig	vant sig
vänsterprassla	1	have an affair, have someone on the side	vänsterprassla!	vänsterprasslar	vänsterprasslade	vänsterprasslat
vänta	1	wait, await, expect	vänta!	väntar	väntade	väntat
värdera	1	valuate, appreciate, estimate the value of	värdera!	värderar	värderade	värderat
värja sig	2a	defend oneself	värj dig!	värjer sig	värjde sig	värjt sig
värka	2b	ache	värk!	värker	värkte	värkt
värma	2a	keep warm, warm up	värm!	värmer	värmde	värmt
värna [om]	1	defend/protect (against)	värna!	värnar	värnade	värnat
värpa	2b	lay eggs	värp!	värper	värpte	värpt
värva	1	recruit, enlist	värva!	värvar	värvade	värvat
väsa	2b	hiss (like a snake)	väs!	väser	väste	väst
väsnas	1	make a lot of noise	väsnas!	väsnas	väsnades	väsnats

Infinitiv	Gr.	Definition & Notes	Imperativ	Presens	Preteritum	Supinum
vässa	1	sharpen	vässa!	vässar	vässade	vässat
väva	2a	weave	väv!	väver	vävde	vävt
växa	2b/4	grow, expand, increase	väx!	växer	växte	växt / vuxit
växla	1	exchange money, change gears	växla!	växlar	växlade	växlat

Y

Infinitiv	Gr.	Definition & Notes	Imperativ	Presens	Preteritum	Supinum
yla	1	howl (as in wolves)	yla!	ylar	ylade	ylat
ympa	1	graft	ympa!	ympar	ympade	ympat
yppa	1	reveal, disclose	yppa!	yppar	yppade	yppat
yra	1	be delirious	yra!	yrar	yrade	yrat
yrka [på]	1	demand, call for, insist	yrka!	yrkar	yrkade	yrkat
yttra [sig]	1	utter, comment, express	yttra!	yttrar	yttrade	yttrat

Z

Infinitiv	Gr.	Definition & Notes	Imperativ	Presens	Preteritum	Supinum
zooma	1	zoom in (as in photography)	zooma!	zoomar	zoomade	zoomat

Å

Infinitiv	Gr.	Definition & Notes	Imperativ	Presens	Preteritum	Supinum
åberopa	1	refer to	åberopa!	åberopar	åberopade	åberopat
åka	4	ride (cars, boats etc.), go, travel	åk!	åker	åkte	åkt
åldras	1	age	åldras!	åldras	åldrades	åldrats
ånga	1	steam	ånga!	ångar	ångade	ångat
ångra	1	regret, be sorry for	ångra!	ångrar	ångrade	ångrat
ångra sig	1	change one's mind	ångra dig!	ångrar sig	ångrade sig	ångrat sig
åska	1	thunder	åska!	åskar	åskade	åskat
åstadkomma	4	accomplish	åstadkom!	åstadkommer	åstadkom	åstadkommit
åta[ga] sig	4	take on, undertake, assume	åta[g] dig!	åtar sig	åtog sig	åtagit sig
åtala	1	prosecute	åtala!	åtalar	åtalade	åtalat
återge (återgiva)	4	render, reproduce	återge!	återger	återgav	återgett
återgå	4	return, revert	återgå!	återgår	återgick	återgått
återgälda	1	return (a favour)	återgälda!	återgäldar	återgäldade	återgäldat
återhämta	1	regain, recover	återhämta!	återhämtar	återhämtade	återhämtat
återkomma	4	come back, return	återkom!	återkommer	återkom	återkommit
återlämna	1	return something	återlämna!	återlämnar	återlämnade	återlämnat
återse	4	reencounter, meet again	återse!	återser	återsåg	återsett

Infinitiv	Gr.	Definition & Notes	Imperativ	Presens	Preteritum	Supinum
återuppliva	1	revive	återuppliva!	återupplivar	återupplivade	återupplivat
återuppstå	4	be ressurected	återuppstå!	återuppstår	återuppstod	återuppstått
återvinna	4	recycle, retrieve, regain, reclaim	återvinn!	återvinner	återvann	återvunnit
återvända	2a	return	återvänd!	återvänder	återvände	återvänt
åtrå	3	desire	åtrå!	åtrår	åtrådde	åtrått

Ä

Infinitiv	Gr.	Definition & Notes	Imperativ	Presens	Preteritum	Supinum
äckla	1	disgust	äckla!	äcklar	äcklade	äcklat
äga	2a	own, possess	äg!	äger	ägde	ägt
ägna [sig åt]	1	devote (time), dedicate oneself to, be engaged in	ägna!	ägnar	ägnade	ägnat
älska	1	love, make love	älska!	älskar	älskade	älskat
ämna	1	intend	ämna!	ämnar	ämnade	ämnat
ändra	1	change, adjust, alter, amend, modify	ändra!	ändrar	ändrade	ändrat
ärva	2a	inherit	ärv!	ärver	ärvde	ärvt
äta	4	eat	ät!	äter	åt	ätit
äventyra	1	jeopardize	äventyra!	äventyrar	äventyrade	äventyrat

Ö

Infinitiv	Gr.	Definition & Notes	Imperativ	Presens	Preteritum	Supinum
ödsla	1	waste, squander	ödsla!	ödslar	ödslade	ödslat
ögna [igenom]	1	glance through, peruse	ögna!	ögnar	ögnade	ögnat
öka	1	increase, enhance, speed up	öka!	ökar	ökade	ökat
önska	1	wish, desire, want	önska!	önskar	önskade	önskat
öppna	1	open, unlock, inaugurate	öppna!	öppnar	öppnade	öppnat
ösa	2b	ladle, bail, scoop	ös!	öser	öste	öst
öva	1	practice, train	öva!	övar	övade	övat
överanstränga	2a	overexert	överansträng!	överanstränger	överansträngde	överansträngt
överbelasta	1	overload, overstrain	överbelasta!	överbelastar	överbelastade	överbelastat
överbevisa	1	convince (a jury), prove somebody wrong	överbevisa!	överbevisar	överbevisade	överbevisat
överdriva	4	exaggerate	överdriv!	överdriver	överdrev	överdrivit
överfalla	4	assault, attack, ambush	överfall!	överfaller	överföll	överfallit
överföra	2a	transfer, transmit	överför!	överför	överförde	överfört
överge (övergiva)	4	abandon, desert	överge!	överger	övergav	övergett
överglänsa	2b	outshine	övergläns!	överglänser	överglänste	överglänst
övergå	4	pass, be above/beyond	övergå!	övergår	övergick	övergått
överklaga	1	appeal against	överklaga!	överklagar	överklagade	överklagat

Infinitiv	Gr.	Definition & Notes	Imperativ	Presens	Preteritum	Supinum
överleva	2a	survive, outlive	överlev!	överlever	överlevde	överlevt
överlista	1	outwit, outsmart	överlista!	överlistar	överlistade	överlistat
överraska	1	surprise, startle	överraska!	överraskar	överraskade	överraskat
översvämma	1	flood	översvämma!	översvämmar	översvämmade	översvämmat
överta[ga]	4	take over, succeed to	överta[g]!	övertar	övertog	övertagit
övertala	1	persuade	övertala!	övertalar	övertalade	övertalat
övertrassera	1	overdraft (a bank account)	övertrassera!	övertrasserar	övertrasserade	övertrasserat
överträda	2a	overstep, trespass	överträd!	överträder	överträdde	överträtt
övervinna	4	overcome, conquer	övervinn!	övervinner	övervann	övervunnit
överväga	2a	consider, give thought to	överväg!	överväger	övervägde	övervägt